Vollidiot

男人都是智障

湯米．耀德（Tommy Jaud）著　洪清怡 譯

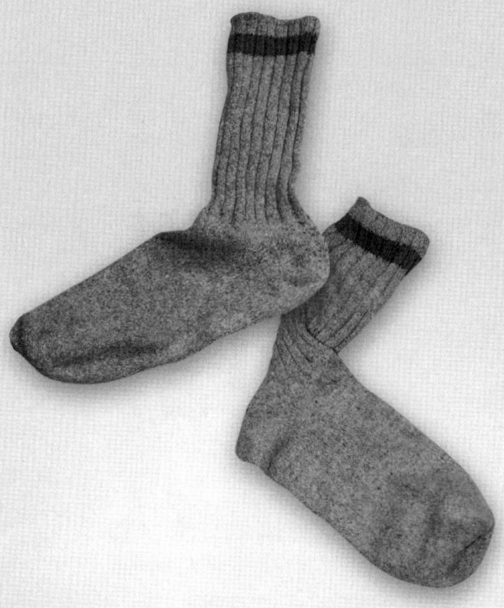

CONTENTS

1 夏威夷核果混泥漿

一個矮小乾癟的ＩＫＥＡ店員用手碰了我一下。他不但頂著一頭稀疏紅髮，還搭配一個大鼻子。感謝老天，沒讓我長成這副德性！

「先生需要我幫忙嗎？」

他幫得了才怪。除非ＩＫＥＡ有賣「自殺」刮鬍刀片組，或者「懸梁自盡」繩索。我也搞不懂我在「卡藍達」三人座組合沙發前逗留的原因，還有我在那裡站了多久。同樣令我困惑不解的是，我到底來這裡幹嘛？畢竟對一個單身漢而言，有什麼比在十月份某個陰雨連綿的星期六來ＩＫＥＡ消磨時間更慘的？這鐵定也是那裡看不到單身男女的原因。一個都沒有！那些如膠似漆的神仙眷侶，無論有沒有小孩，總帶著一副獰笑的面孔在賣場遊逛，討論那張「古侯曼」搖椅和「艾克托普」沙發搭不搭配。真想大喊「一點都不搭」！就像你們身上庸俗乏味的名牌上衣，還有你們無聊透頂的「市郊型」標準家庭，讓我看不順眼！

全世界沒有任何地方像ＩＫＥＡ一樣，能把單身漢的個人慘敗，如此淋漓盡致、冷血無

情地展示出來，而且點滴不漏。IKEA不是家具館，而是北歐人奸巧的構思，因爲沿著狡猾的各區指標，走向黃藍相間的三十座收銀台之前，單身漢一敗塗地的人生，簡直是一覽無遺。

客廳。與好友或心肝寶貝相聚的地方。砰！正中臉部！相聚？和誰呀？我就只有一個男性朋友，況且他除了喜歡唉聲嘆氣，還長了一身肥肉。至於心肝寶貝就更甭提了，所以我不需要三人座沙發。多謝！

臥室。愛巢。嬉戲笑鬧之處。柔情繾綣的角落。一個讓人相依相偎、感受幸福的地方。在我眼前彷彿閃出一則《畫報》的頭條新聞：「廣告公司發生大屠殺：意志消沉的光棍，以一組「油爆」平底鍋殺死十位IKEA的文案人員。」你還在撰稿嗎？或者已經死到臨頭了？去他媽的謝謝！依我之見，單身男女最好是在朋友或專業心理醫師的陪同下，才可以去IKEA。無論如何，這是我最後一次來這裡。開車開了該死的二十公里，就只爲了找一張能坐的沙發，因爲我有時候對站著或躺著都沒興趣。最後我終於看到了我想買的沙發。

有對情侶，看起來簡直就像當期目錄第十頁上模特兒的翻版，笑嘻嘻地在「麗感」皮沙發坐了下來，而且還卿卿我我，眞是蠢斃了。就在這一秒間，我再次領悟到自己已經處於單身階段第四期。

單身階段第一期：

剛與舊愛分手，滿懷人生鬥志，你又開始和幾乎遺忘的酒肉朋友聯絡，結果卻發現，他們在這段期間已經發展了異於以往的興趣。他們的新興趣就是不沾貝克啤酒與女色。很正常啊！你以前還有女友的時候，不也是這個樣子？因爲他們可憐你，所以你當然可以去他們家坐坐，一起看看電視娛樂節目，度過悠閒舒適的夜晚。但是你哪有興致當電燈泡，就在客廳被那兩人濃情蜜意的氣氛淹沒時，還要一邊啃花生看主持人唸著第八千個來自觀眾席的賭注。這時你的前任女友變成了你新的假想敵。你將這段失敗的感情完全歸咎於她，而且向朋友、熟人以及八卦雜誌散播消息。然後你開始加油衝刺，不僅成爲健身俱樂部會員，上酒吧也是通宵達旦，每個女人你都可以手到擒來，只是你不想罷了。時機未到！

單身階段第二期：

你覺得人生精采刺激，機會無窮。你已經去過兩次健身俱樂部，也快要學會有氧體操的基本步法。當然，你看起來仍舊和卡文克萊的模特兒一樣瘦巴巴，彷彿是在火車站附近援交了四個禮拜的牛郎。然而在你腹部結實成形的肌肉，令你欣喜不已。再也不必對超市架上的《健康男性》雜誌封面的猛男乾瞪眼啦！你聽人說，前女友目前也還是單身，於是你趕緊環顧四周有無新的人選，以便防患未然。找到新歡的速度若是敗給前女友，豈不是太丟臉了。

單身階段第三期：

你敗給了前女友。有人在公衆場合看見他們，聽說那個男的還是個肌肉猛男。你仍然吃力地學著基本步法，內心好希望一些正妹也來上有氧課。然而就是沒有正妹芳蹤。誰教你那麼猴急，竟然粗心大意地挑到一家全市最受歡迎的男同志健身俱樂部，還簽了兩年合約！你訂了貴到嚇死人的單身度假村旅遊，而且相信那裡鐵定讓你鹹魚翻身。私底下你卻害怕得要命，萬一搭柏林航空飛回科隆的旅客當中，唯一沒有機會上床嘿咻的就是你，那怎麼得了。當然你對自己仍舊有信心，因爲你自認是個酷男，女人總不至於蠢到對你視而不見吧！

單身階段第四期：

女人簡直是蠢到無可救藥。事實就擺在眼前，她們對你視如糞土。最主要的原因，在於你一遇到頗具姿色的正妹，腦袋裡便出現十種不同的春宮做愛圖，當然立刻把對方嚇跑。「嘿咻」兩字根本就印在你的額頭上，不但是字型大小一千級的新細明體，字體四周還添加各種不同的彩光特效。全世界的ＩＫＥＡ都禁止你再踏入店裡一步，因爲你把坐在棕色皮沙發的一對情侶強拉起來，硬逼他們吃下兒童遊戲區裡所有的塑膠球。我剛才已經說了，這正是我目前所處的階段。啊！對了，接著是……

單身階段第五期：

你又開始喜歡去你那家男同志健身俱樂部。

才不！絕不淪落到這種下場！

☠ ☠ ☠

我注意到，那個鼻子很長的矮子銷售員還一直站在我旁邊。

「您想試坐嗎？」

「沒錯。而且要坐起來覺得舒服才行。」

「您比較想要兩人座還是三人座的款式？」

喂！有沒有搞錯？難道我旁邊有幸福滿面、身上掛著「我們要和爸爸一起坐沙發！」的家人嗎？

「我比較想要一種可以獨坐的款式。因爲有時候我既不想站著，又不想躺著。」

「了解。就是一種單身沙發，對不對？在這邊……」

我要寄一封電子郵件到ＩＫＥＡ總公司管理部，要求他們立即解雇這個長得像小木偶皮

諾丘的侏儒臨時工。不過在我這樣做之前，這個ＩＫＥＡ「侏儒」小矮人還叮嚀我記住貨架編號30Ｃ，因爲那裡擺著我的一人座單身沙發。30Ｃ。爲什麼他不把號碼寫在紙上？不過才兩個數字和一個字母啊！

30Ｃ！

我完全無法理解，爲什麼我必須記住這個編號。還有很多資訊都比沙發的位置更重要。那些發明ＩＫＥＡ的瑞典人眞是不知好歹的傢伙，他們不知道我有多少號碼要記嗎？我的地址號碼、我的銀行帳號、至少五組網路密碼，再加上朋友弗里克的電話號碼。顯然多到不像話。要是今晚我遇見了夢中情人，她還給了我聯絡電話，而我卻無法記住，只因爲這個完全多餘的「30Ｃ資訊」堵塞了我腦袋裡珍貴的記憶體容量，那怎麼辦？眞是天大的災難！另外，等我找到貨架上的單人沙發後，又該如何處理這個30Ｃ？送到垃圾資料檔案室嗎？有這種檔案管理處嗎？鐵定沒有！所以我回答：「我拒絕把30Ｃ這個編號記下來！」

爲了強調我的要求，我一邊敲著銷售服務台，一邊補充說明：「麻煩您把號碼寫下來！」

「可是您明明已經記住了啊！」這個放肆的矮子不但大聲頂嘴，甚至懶得祝我擁有美好愉快的夜晚就膽敢轉身離開。算了，反正我也不可能有美好愉快的夜晚。如果有人問我的意見，我會說德國要衰亡了。瑞典當然也不例外。我火冒三丈地走向取貨區。30Ｃ！

當我把包裝扁平的單身沙發從我那輛黃色寶獅二〇五抬出來時，天色幾乎已經昏暗。我的寶獅並非眞的是黃色，反倒可以稱爲「縣政府金燦黃」，也就是和垃圾車的橘黃色有點相近。我的單身沙發則是蛋殼色。我吃力地把包裝箱推到公寓大樓入口處。電梯門敞開著，看起來實在像極了有人等著我。這當然是異想天開，誰等我回家啊？連一隻母豬都沒有。我搭電梯上樓，進入租金貴得離譜的一房一廳住宅，把門鎖上，開了燈，然後在刮痕累累的木質地板上，把自己連同那一箱單人沙發拖到客廳內。對於我記住30C這件事，仍然讓我氣得七竅生煙！我扯下單人沙發上好幾公尺長的塑膠包裝膜和好幾公斤的紙板，把它們統統扔到陽台上。然後我點燃一根煙，轉開三千歐元的超薄電漿電視，指望藉著看新聞忘掉那個欠扁的貨架號碼。30C！眞是有夠豬頭！正當彼得·柯羅伯播報著美國聖地牙哥動物園對海豚寶寶的誕生歡天喜地時，我讓自己陷溺在新買的「珍妮朗特」單人沙發裡。這張沙發的名字眞是罕見，或許又是取自女設計師的姓氏吧。雖然「珍妮朗特」可能是位女設計師，我卻覺得聽起來更像淫蕩的色情片女演員。我坐在色情沙發上嗎？我撫摸著座椅的扶手。

珍妮·史朗特，妳這個激情的蕩婦！

喔，西蒙，給我高潮！

或許我果眞太久沒有嘿咻了。我應該出去約會，認識一位亭亭玉立的女孩，和她一起建立家庭。最好就在今晚！一種突如其來的空虛與寂寞感向我襲來，我試圖迴避，然而這樣的感受已經完全籠罩著我。不過，這種症候或許總會出現在休假前的最後一個工作天吧。我在德國電信公司的T點銷售服務站上班，那是個所有人情緒激動的地方。我也不例外。無論如何，我好歹是員工！最蠢最糟的當然是顧客。所有的顧客嗎？沒錯，所有的顧客！

「請問有沒有賣現在正流行的網路啊？」

「很抱歉喔，最後一個網路我剛才賣掉囉。」

「您曉得什麼時候還會進貨嗎？」

「很難講耶，明天會進一卡車的通話線路，搞不好裡面也有網路。」

「那我明天是不是要再來一趟？」

「這樣是最好，而且您最好直接問我的同事，就是那位亞克先生。他專辦網路業務！」

「多謝啊！」

「不用客氣，顧客至上。」

換句話說，我憎恨我的工作。有時候，我覺得德國電信公司的T點銷售服務站之所以

存在，只不過是爲了整死我這隻可憐蟲。無所謂了，反正明天晚上我就飛到陽光普照的度假區，現在又何必向那些只有單細胞加上豆腐腦的顧客解釋「寬頻」和「室內隔間板」的差別。我把電視音量調高，以便聽清楚彼得・柯羅伯的播報，然後又取出一根丹麥王子香菸，用我的紅色打火機點燃。就如同其他陰霾的秋天下午，這一天的日光也故意在五點鐘前就宣告投降，好讓我們這些形單影隻的人提早陷入憂鬱的情緒。雖然我的老友弗里克宣稱，冬季即將來臨前，天色本來就會變得這麼晦暗，但是我確信天公故意不作美的原因，只不過是爲了讓我更加鬱悶。最慘不忍睹的，莫過於週六晚上一人獨處了。星期六過後，星期日緊接而來，而星期日過後不久，又到了讓我也很不爽的星期五晚上，尤其是單身了好幾個月，仍坐在蛋殼色的IKEA椅子上，收看彼得・柯羅伯播報RTL電視台即時新聞。就連他都有個伴，因爲他旁邊還坐著體育新聞女主播烏麗克・封葛洛本。兩個人搭檔默契十足，甚至志同道合！我注意了好幾次，當克羅伯向她問及體育方面的消息時，她會先開個玩笑，然後再針對問題詳盡回答，接著柯羅伯便露出滿意的表情，並向她道謝！好一對金童玉女。眞是相配！

在我身邊放著《不煩惱，活下去！》這本勵志書，是弗里克送給我的。他竟然相信我需要這種讀物，眞是可惡。我幾乎快看完了，而且已經累積了不少心得：我不該操心過度，應該好好體驗人生。書中還寫道，每個人應該粗略曉得自己的人生志向，這不是指現在該去打

保齡球還是該看電影，而是有關人生的幾項重要大事，譬如愛情和事業等等。問題是，這正是我的毛病所在，我不知道我想追求什麼，因此要達成目標又談何容易。正當一名裝扮好比花花公子的奧地利播報員講解著秋天的氣象時，我往後翻閱了幾頁，讀到解決問題癥結的策略。這個部分可讓讀者用鉛筆塡寫答案，我也已經照做了。

問題一：問題在哪裡？

答案：我沒興趣寫下我的目標。

問題二：引發問題的原因何在？

答案：我不曉得爲什麼要寫下我的目標，因爲我根本沒有目標。

問題三：有哪些解決方法可行？

答案：a. 改天我再寫下來。

b. 我拿這本書去把弗里克扁一頓。

c. 灌下十杯啤酒。

問題四：您建議哪一個方法？

答案：c！

我把那個奧地利播報員關掉，然後捻熄我的香菸。沒有電視還眞是一片死寂。我又把電視轉開，從褲袋裡掏出手機，壓著按鍵瀏覽電話簿資料。不再有人打電話給你時，你就得自己打。

德國汽車道路救援協會、柏林航空、亞歷山大、本恩．韋樂……

本恩．韋樂。嗯，他爲人不錯，我不妨跟他約個時間喝兩杯！我在撥號前才突然想起，本恩住在慕尼黑，而我住在科隆。姑且不問我們兩人誰比較沒有相聚的福份，反正要碰頭喝個啤酒實在太遙遠了。

……伊娃、法比恩娜、弗里克……

我可以打電話給弗里克那個老氣橫秋的無趣傢伙。沒錯，這正是問題所在。跟弗里克晚上碰面有什麼意思？不是四杯啤酒下肚之後他就噁心想吐，就是披薩上面的一片爛洋蔥讓他吃壞腸胃。最後當然又只剩下我一人。我繼續按手機鍵，接著便出現我前任女友的名字。哦！

……茱莉亞……

她還在我手機的記憶體裡面幹什麼？於是我一不做二不休：刪除！感覺眞棒！即使我願意，也沒辦法打電話給她了。除非我問伊麗絲。我還有伊麗絲的號碼嗎？還在，謝天謝地！很難說，搞不好有朝一日就用得著。或許茱莉亞終有一天茅塞頓開，領悟自己犯下一生最大

的錯誤，於是一邊苦苦哀求，一邊乖乖爬回我身邊？我正想用舊菸點新菸，卻發覺自己根本沒在抽菸。於是我點燃一根菸，然後把另外一根先收起來，因爲一次抽兩根眞的不行。我繼續按手機鍵，嗶、嗶。

按到了那個腦袋裝稻草的蜜莉安。我沒把她刪除，是因爲我偶爾還可以上她那裡打炮。最後我按到了西門子的技術服務熱線。西門子是無法約會的對象。西門子是跨國性的綜合企業組織，這也是無法和西門子上床的原因。我自問，這個號碼在我手機裡搞什麼鬼。啊呀，想起來了……因爲我的煮咖啡器自兩千年一月一日開始，便喪失了預設烘煮時間的功能。我眞想知道，有沒有人因爲千禧年的千禧蟲問題困在電梯裡，或者搭機墜毀。那還用說嗎！全世界鐵定只有我一人才是千禧蟲的眞正受害者。而且還發生在我的煮咖啡器上！嗶、嗶。

……卡蒂、卡堤雅、拉拉……

拉拉是幫我打掃公寓的克羅埃西亞女人，未必是一同狂飲豪醉的最佳選擇。嗶、嗶。

……寶拉、佩特拉……

我知道寶拉正好不在科隆，佩特拉則不論到哪裡，必有她養的那隻怪狗同行。嗶、嗶。

……科隆計程車行……

假如我把一張五十歐元鈔票，塞到計程車司機飽滿的襯衫口袋裡，他肯定願意和我去暢飲幾杯科隆啤酒。我當然也可以在計程車隊之間躡手躡腳地徘徊，然後物色一名風騷火辣、

飢渴難耐的女司機！而且在激情過後，我也不需替她叫計程車，因爲她隨身就有一輛。多方便啊！嗶、嗶。

我繼續按著手機鍵。就在這時，完全出乎意外的事情發生了。我的手機響了。螢幕上顯示著「不知名來電者」。如果對方正是我剛才刪除掉的茱莉亞，我該怎麼辦？世間就是有這種巧合！我故做鎮定，小心翼翼地接聽。

「喂？」

「嗨！你在幹嘛？聽起來神經緊張的樣子！」

「我就是神經緊張！電話響了嘛！」

是菲爾·孔拉特打來的。超級愛現的傢伙。是個表現出一副「嗨，我覺得自己好性感，今天肯定有豔遇」的男人。他老是僞裝窮光蛋，到現在欠我至少十杯啤酒的錢。這個王八蛋還在電視節目製作公司坐領高薪。我則在電信公司的T點銷售站上班，以扣稅後剩下一千五百歐元的月薪，對著一堆板著苦瓜臉的笨蛋，解說當一方電話中時，另一方當然打不進去的原因。然而事實上，我這時候根本不想理這個菲爾·孔拉特。他那種人，就是有辦法把他周遭的人比下去，讓他們老是感到自慚形穢，酷不起來。

「你今天晚上做什麼？我有預感會有豔遇哦！」

賓果！這就是問題所在！因爲他就是這樣一個愛現的混蛋，所以沒人想和他出去！「你

聽著，我……我正忙得不可開交……塡稅單之類的……你也曉得，就是大家都一拖再拖、不到最後關頭不處理的事情，而且剛好在你打電話來的這一秒，我才開始進行呢！況且我明天還要出國度假！」

「什麼時候？」

「下午四點多！」

「既然如此，你今天還是可以出來玩玩。下午四點的時間很酷啊。那就今晚十點在酒吧碰面，怎麼樣？」

話說回來，總比待在家裡看那重播了四千遍的《比佛利山超級警探第二集》好多了。

「不如約九點四十五分吧！」

如果不能讓我決定時間，我死也不去。

「我沒異議！太棒了，待會見！」我掛掉電話，把兩隻腿彎在珍妮·史朗特上面，然後翻開那本勵志書的重要章節：〈面對無可避免之事〉。

☠ ☠ ☠

科隆圓環大道上，已經充滿嚼著口香糖的痞子，他們拿著偷來的照相手機，嘰哩呱啦地

講著一堆廢話。那副德行，是一種難以言喻的混合產物——由失敗的難民政策和〈歐利維·蓋森脫口秀〉那些不倫不類的來賓混雜而成。當我跳進一部計程車時，我差點想立刻從另一邊下車，然後對著攝影機鏡頭拿出一顆曼陀珠，臉上擺出很白痴的笑容。我當然沒有眞的這麼做，因爲這種愚蠢的廣告已經出現在電視上了。

「請載我到愛爾蘭風的豎琴酒吧，溫婁爾街！」

就在跳價表旁邊的後照鏡上，我看見一雙錯愕的波斯眼睛。

「什錦酒吧？」

「不是『什錦』，是『豎琴』，溫婁爾街，在俾斯麥街轉角！」

「偶不豬道啦！」

饒了我吧！又是一個毫無方向感、只會靠地圖的文盲，就算在他的屁眼掛上導航霧笛，他也一樣找不到自己的屁眼。或許他會突發奇想地自動查看市區地圖吧。

「那偶看一下市區地圖好了！」

賓果！我果然有識人的眼力。

我到達酒吧時，菲爾當然還沒出現。店裡也是死氣沉沉，只有一些可疑的常客。他們早已豪飲了不計其數的健力士黑啤酒，而且最遲在一小時之後，他們將會忘掉一個事實：這

個世界能夠給予他們的，和他們能夠回饋給這個世界的，完全相等——也就是狗屁而已。我在一個名叫布萊恩的紅髮蘇格蘭人旁邊坐了下來，然後點了一品脫的海尼根啤酒。令我慶幸的是，隔壁座位上放著別人忘了帶走的都會雜誌。我興致索然地翻閱著。科隆市南區又有一家新開幕的西班牙餐館。好極了。因此市內總計有二十六家。說唱樂團「瘋狂四人組」將在「跳舞噴泉」公園舉辦演唱會。也好極了。我以前覺得那首〈在海邊的那天〉挺不錯，可是他們後來就無聲無息了。管他的。哦，這個有意思：內渠道街，將有兩星期的時間縮減成一線道。這些芝麻大的新聞，還眞是有趣得不得了！

菲爾穿著絨質休閒西裝來到酒吧，上身的綠色T恤印著哈利寶QQ軟糖的字樣。他當然不像正常人從門口進來。不！他那一副大張聲勢的模樣，好像自以爲在深夜脫口秀出場表演似的，我眞想去撞牆！那副德行實在蠢斃了！連問一聲都沒有，菲爾便從鄰桌抓起一把高腳凳，然後放到我在吧台的座位旁。

「西裝很跩喔！」我以諷刺的口吻笑著說。

「是不是棒呆了？我剛剛才買的。打折後五百四十九歐元。很酷對不對？你喝的是什麼？」

「海尼根，十年來都沒變！」

「我也要點一杯。對了，你身上還有錢嗎？我還沒去提款機領呢！」

廢話。提款卡早在兩年前就被銀行櫃檯銷毀的人，當然不會去提款機領錢。我掏出一張五十歐元鈔票，塞給這個「哈利寶QQ軟糖菲爾」。

「謝啦！對了，你的旅行箱打包好了沒？」

「還沒有。明天再弄！」

「你去了就知道，休閒度假村眞的很勁爆。你最好帶一大盒保險套去！」

「到時候再看著辦吧！」

接著，我們舉杯相乾，一邊暢飲啤酒，一邊說著這幾個禮拜以來和哪些女人上了床。菲爾自稱他上了兩個女人。我呢，半個也沒有。菲爾搖搖頭。

「你不是曾提起一個在星巴克工作的小妞？你和她的情況怎樣？」他想知道。

「什麼叫作和她的情況怎樣？」

「唉呀……就是有沒有進展啊？你有沒有什麼打算？你還是很中意她嗎？」

「我不曉得，我覺得我現在需要休息一下，不談感情。」

「現在？你的感情生活已經停擺好幾個月了！」

星期六晚上讓單身漢不堪其擾的，正是這類話題。眞多謝啊！至於那個星巴克小妞，菲爾所言當然不無道理。我覺得她很正點！沒有人像她一樣，打奶泡時的姿態那麼引人遐思。

不過到目前爲止，我都只透過店面玻璃看著她，最主要的原因是我拒絕光顧星巴克。在美軍

的咖啡烘焙部隊占領那棟樓之前，那裡是我最喜愛的速食餐館「墨西哥美食小站」。如今再也沒有美味的墨西哥薄餡餅可吃了，反而只有取了一串花名的飲料，無論叫什麼「巧克力糖糕夏威夷核果」或什麼「碗糕」，還不就是一團混雜的咖啡色泥漿嘛！我還沒向星巴克小妞搭訕這件事，菲爾壓根就無法理解。

「拜託，西蒙，你只需走進店裡，問她下班後要做什麼。不是就這麼簡單嗎？你說對不對？」

「我才不進去那裡。原因你很清楚！」我反駁他，好把話題從性愛轉開。

「唉……你應該把墨西哥美食小站忘掉！人生還是要過下去。去買個咖啡和糕餅又怎樣！」

「我不買老美的咖啡！」

「眞的嗎？這可眞是有趣！爲什麼不買？」

「老美在全世界開連鎖店，賣他們自己一點也不懂的東西！必勝客披薩就是一例。是我腦筋有問題嗎？披薩難道不是義大利食物？我也不會以德國人的身分，去美國開五百家法式可麗餅連鎖店！」

我喝下一口啤酒。菲爾瞪著我看，眼睛像車燈似的。

「你就是可以去美國開五百家可麗餅連鎖店！」

「是啊，是啊，你說得還眞是有理啊！」

「喂，西蒙，我剛剛只不過是建議你走進店裡，買杯咖啡，問問那個漂亮小妞下班後做什麼消遣。我可不記得曾經提起文化大革命這幾個字！」

「要我進去，我就是辦不到！那裡的咖啡喝起來像毒老鼠藥，而且還禁止客人抽菸。另外，那裡老是坐著不下三十個媽媽和哭鬧的小孩！墨西哥美食小站……」

菲爾轉著眼珠，把他的啤酒杯放下，然後幫我把話說完。

「……好多了。我知道。好吧，我也很不爽店裡禁菸這回事。但是除此之外，你說的完全是屁話！你讓星巴克摧毀你的人生，眞是令人扼腕！」

瞧，菲爾坐在我旁邊還不到十五分鐘，我就已經渾身不舒服。其實我應該就此打住，閉嘴不說了，可是一股內心強烈的渴望，卻迫使我繼續辯解。

「你這幾年有沒有看新聞？有沒有聽過伊拉克、阿富汗、貿易制裁古巴這些重點字？我怎麼能支持美國！」

「等等，西蒙。讓我來做個總結：因爲美國的古巴政策，所以你拒絕喝星巴克咖啡？」

「可以這麼說！」

「好吧，假如西蒙·佩特斯在科隆抵制星巴克的消息傳入白宮，你以爲會發生什麼事？喔……總統大人，我們必須修訂孤立古巴的赫姆斯—伯頓法案，因爲西蒙·佩特斯已經宣

布，不買科隆舊城區的星巴克咖啡和糕餅！」

不知道我有沒有提過，有時候我對菲爾恨之入骨。

「你變態！」

「你混蛋！」

我們沉默不語了一會，於是我的目光在酒吧內來回游移。站在射鏢盤旁的，又是那批嗜酒成癖的傢伙，刻意佯裝天眞少年郎的模樣，而且以爲自己正在進行體育活動。一個瘦巴巴的女大學生，在廁所前的牆架上，塞進一疊五十張的免費明信片。一個身材臃腫的胖女服務生，正向我們的鄰桌端上一籃酒吧自製的愛爾蘭麵包。我的思緒仍然盤繞著星巴克。

「這本來就是文化大革命！」我向菲爾嗆聲。「你等著看好了，老美最後也會賣我們德國的聖誕節蜂蜜薑餅，而且貴到一個兩歐元！」

「沒有人會把一個聖誕節蜂蜜薑餅賣到兩歐元！」

「老美就會！」

「我剛已經說了：你變態！」

「你討人厭！」

「再點一品脫？」

「當然！」

我們搖搖頭，繼續喝啤酒。我又環顧了四周，看看是否彼得·柯羅伯和烏麗克·封葛洛本恰巧也坐在酒吧內某處，那麼我就可以和他們倆聊聊運動或海豚。可惜他們倆一個也沒出現。午夜十二點時，已經放了兩遍的那首英文歌〈我就是無法滿足〉又刺耳地傳出。於是我們叫了計程車前往「候廳」。那是一家迪斯可舞廳。菲爾宣稱，他和兩個在某派對上認識的正妹相約在那裡見面。雖然我借了五十歐元給菲爾，可是因爲我是個白痴，所以竟然還付了菲爾的啤酒錢。我們喝下那個愛爾蘭肥女人招待的威士忌之後，便火速前往「候廳」。

2 軟骨頭君子

因爲菲爾認識迪斯可舞廳入口的看守人員，所以直接免費溜了進去。至少我一開始這麼以爲。但是當我的二十歐元有去無回，只換得收票員無精打采的微笑時，我才恍然大悟，原來我付了菲爾的入場費。這個老奸巨猾的混球！至少値得安慰的是，舞池內已經熱鬧滾滾。某個滿臉青春痘的駐場DJ，戴著柏林都會風格的大框角邊眼鏡，播放著令我神經衰弱的浩室電子舞曲，可是其他感官已經麻木不仁的市井小民，當然覺得這種音樂炫極了。我在人群中擠向吧台，畢竟我想喝個痛快，而我在那本勵志書裡寫下的解決方案，我也要躬行實踐。那個「哈利寶菲爾」已經在舞廳內找到了他認識的兩個派對小妞。其中身材比較高䠷的那個，外型的確像是愛開派對的辣妹，比較嬌小的另一個看起來像慢條斯理的蝸牛。

「佩特拉，這是西蒙！西蒙，這是佩特拉！」菲爾介紹我們認識。

「嗨！」我向派對辣妹打招呼，對小蝸牛也一樣說「嗨」。

「嗨！」小蝸牛回應著。派對女郎則一言不發。她的眼神微微散發出化學物質，而且削

著一頭前額有劉海、覆蓋著兩耳的黑色短髮，讓我不禁聯想起電影《黑色追緝令》裡瘋狂的黑道新娘米雅。

爲了打開話題，菲爾補充著說：「佩特拉和卡蒂雅在德國漢莎航空上班。西蒙是德國電信公司的客服顧問，批判起美國政府的古巴政策，可說是詞鋒犀利，毫不留情！」我兇狠地瞪了菲爾一眼。多謝啊！這個超級大白痴！派對辣妹會怎麼想？

噢……所以在美國外交政策方面，你偏向於反對共和黨的政見嗎？這實在是太太太性感了！我可以和你上床嗎？

卡蒂雅，也就是那個看起來喜歡開派對、不像小蝸牛的辣妹，只是淡淡微笑便掉頭轉身，態度十分明顯。女人總是這樣。可惜啊，這個蠢辣妹驕傲得很。她的緊身T恤、超火辣的塑膠材質黑色丁字褲——拉得幾乎高到肩膀，絕對不是「婚前沒有性行爲」的跡象。我思索著該用哪一句勁爆的話作爲交談的開場白。菲爾帶著施恩的眼神，遞給我們一人一杯摻著紅牛機能飲料的伏特加。他花我的錢請客，而且老是一副整個夜店都被他買下來似的。不知道我有沒有提過：我不喜歡菲爾。我把吸管往背後丟，因爲我覺得娘娘腔的男同志才用吸管。接著，我在《黑色追緝令》的黑道新娘米雅耳邊大聲說：

「妳飛短程還是長程？」

「長程！」她打著呵欠回答，而且連看我一眼都不屑。長程！菲爾曾告訴我，在長途班

機服務的空姐私生活都頗爲淫亂。他看過的A片不計其數，一定清楚得很。所以我不放棄！

「妳飛往哪一個國家？」我想知道。

「美國！」

嗚呼哀哉！

「造一個完整的句子回答我，會讓妳的大腦語言區過度疲乏嗎？」

這個小玩笑獲得的獎賞，是假惺惺的好萊塢白齒笑容，以及毫不遲疑的轉頭迴避。我從眼角瞥見菲爾正豎起拇指向我眨眼示意。他的另一隻手，則撫弄著一個傻笑的金髮尤物的黑色連身裙。我恨死他了！來這裡不到五分鐘，馬上就釣到下一個獵物。我喝光我的飲料，然後又轉向我的德國漢莎航空兔女郎：

「明天我要搭柏林航空到加納利群島！」

「那麼……你準備好行李了嗎？」黑道新娘問我。

「還沒！」我回答她，然後我們的目光又各自轉向別的地方。沒有人會認爲我們倆心有靈犀。除此之外，我的腦筋還陷入一片空白，想不起任何適當的話題。

「妳知道嗎？內渠道街將有兩個星期縮減成一線道！」我問。

「眞的？」

「那還用說！」

「啊，那麼到時候一定會大塞車！」

「幸好我從不經過那裡！」

「我也是……」

我大可把一隻腳綁在計程車上，然後被拖到科隆市的波爾茲區，沿路好好用柏油去除臉部角質，以便洩憤。請問我在這裡搞什麼，只會東拉西扯地說一堆廢話？我應該採取攻勢，秀出我的冒險精神以及說笑逗趣的本事！而且這些特質最好同時展露出來！

我輕輕碰觸派對辣妹的肩膀，然後說：

「有件事我超想知道……」

「嗯哼？」

「……如果和空姐上床，可以獲得多少優惠里程數？」

☠ ☠ ☠

當咧開嘴好笑的「哈利寶菲爾」打開男廁門時，我正在裡面清洗頭髮上的「長途航線紅牛機能飲料伏特加」。

「天啊，西蒙！你今天走衰運是不是？難道你談起古巴了？」

「你給我滾蛋！」

「你身邊還有錢嗎？我好像花光了……」

「你沒聽見我叫你滾蛋！」

菲爾幫了我這個忙，滾邊去了。幾秒鐘後，我尾隨他走入舞廳內，但是我轉到另一個吧台，點了可以讓人從樓梯摔下去的大杯愛爾蘭烈酒，名叫 Tullamore Dew。我把冰塊丟到地上，因爲我覺得除了吸管之外，冰塊也是娘娘腔男同志喜歡的東西。後來我還點了兩次續杯。這種烈酒，喝得愈多就愈不覺得辛辣，果眞是愛爾蘭人聰明的傑作。只要是距離我十公尺以內的雌性動物，我都跟她鬼扯瞎掰一番。我向其中一個搭訕時，竟然說了兩遍同樣的話。就算是酒醉所造成，仍然很糗。

過了一會我便察覺到，我所偏愛的另一個性別，在我周圍畫出了避之唯恐不及的禁區。情況很不對勁。是我不尊重女人，還是女人藐視我？或者我們互相輕蔑？無論我怎麼做，對於兩性關係，我就是完全沒輒。我自問是什麼原因，讓我老是在女人那裡碰釘子。基本上，我覺得自己很棒，就算我的身材可能有點乾瘦，膚色有些蒼白，可是我正堅持不懈地鍛鍊我的肌肉。除了這一點之外，我覺得自己毫不遜色，甚至還超過了平均水準。然而，許多長得很豬頭的笨蛋，卻能夠搞上超級辣妹。

當我灌下第四杯愛爾蘭烈酒 Tullamore Dew 時，我又想到自己老是搞不定女人的可能

原因：我正處於單身階段第四期——徹底的絕望，加上殘破不堪的自信心。而且悽慘的是，我深陷在一種惡性循環當中：愈是顧影自憐，愈是沒有展望。愈是沒有展望，愈是顧影自憐。那本勵志書提供的解決方法是：擁有自信、放鬆心情以及保持樂觀！理所當然，我覺得灌酒澆愁更是幫助不小。我點了第五杯愛爾蘭烈酒，然後有如一隻獨眼的鸚鵡透過毛玻璃斜視人群。拉警報！熟悉的臉孔正向我靠近！

「原來你在這裡啊！」

是菲爾，而且那兩個航空公司的高級女傭尾隨在後。

「我想靜一下！」我隨口說說，同時迴避任何目光的交集。接下來發生了兩件不可思議的事：菲爾花「他自己的」錢，請我們一人一杯紅牛機能飲料伏特加。穿著火辣丁字褲的黑道新娘卡蒂雅，爲了剛才的潑飲料事件向我道歉，表示我開的優惠里程數玩笑其實很逗趣，但是女人家就是無法接受這種黃腔等等……

這下子我的心情開朗起來，而且試著把這塊失去的長途航線大餅追回來。我對黑道新娘卡蒂雅說，我不久就會辭去電信公司的T點銷售站職務，準備自立門戶，在網際網路的領域上獨創事業，然後狠狠大賺一筆，將來就搬到加勒比海，不住在科隆了。我還說，若有機會，我很樂意向她描述我的事業規畫。有關搭乘長途班機引發的輻射危險，我問了幾個蠢問題。除此之外，我還想知道她在飛航時所經歷過的最刺激體驗。她說，最刺激的經驗，是

逮到一名在洗手間內抽菸的乘客。他不但喝得醉醺醺，而且還發飆起來，摑了卡蒂雅一個耳光。我聽了之後有點失望。

「可是這個偷偷在洗手間內抽菸的乘客，一定是恐怖分子吧！」我揣測著。

「不是，他只是普通乘客而已！」

「他一定是沙烏地阿拉伯人！」

「不是，是瑞典人！」

「呃……」

菲爾又花了錢請我們喝續杯。我們四人之間，漸漸營造出輕鬆活潑的氣氛。眞是的，如果一開始就這樣多好。我們一邊抽菸喝酒，一邊有說有笑，於是我開始放鬆自己，而且感覺到這一刻正是乘勝追擊的大好時機。因爲卡蒂雅正歪著頭注視我。我曾經在一本描寫身體語言的書中讀到，這個動作透露出她很傾慕我。在我醉得不省人事之前，我必須展開行動！而且發動攻勢時，很重要的是敏銳度以及得體的言行舉止，畢竟我未來的性伴侶卡蒂雅仍以優雅的女士自居。於是我很有禮貌地輕問道：

「妳有沒有在飛機上的洗手間內做愛過？」

這一次，她的飲料並沒有朝我的方向移動。

「我不告訴你！」

賓果！我說中了！

「妳默認了！」我不死心地說。她的眼睛望著地板。

「不告訴你並不代表默認！」

「可是很明顯，也不代表否認！」

「眞受不了你！好吧……沒有做愛，可是……做了口交。」

女人喝了幾杯酒後，果眞是語不驚人死不休！

「是『妳』還是『他』做了口交？」

「事實上……是個女的『她』……」

她尷尬地在菸灰缸裡壓著早就捻熄的菸蒂，而且以散發出化學物質的眼光凝視著我，神情充滿期待。我展現出圓滑的應酬式笑容，企圖掩飾一個讓我跌進無底洞的眞相，因爲我感覺我那雙最新款的球鞋下方，地板正在消失。

「啊，妳是……女同志？」

「那麼妳的朋友，我是指佩特拉，也就是妳的女朋友嗎？」我結結巴巴地說。

這時她點了頭。

「那還用說，一看就知道嘛！」她笑著。我一手揪住「哈利寶菲爾」，把他拉向我，然後猛力搖晃。

「你這個糊塗蛋，竟然帶了兩個女同志來！」

「你發什麼神經啊？」

我根本不必回答，因爲卡蒂雅已經笑得前俯後仰，無法喘氣。我當下眞想把我的飲料倒進她的上衣領口，不過還是作罷了。就在剎那間，我明白了一切。這個女人眞是又蠢又廉價，而我竟然還上她的當！偏偏是我上當！卡蒂雅輕撫著我的背部，露出願意和解的態度。

「少裝蒜了……一比一！開黃腔的人，當然也有被耍的時候！」

我不認爲像我這麼能言善道的人竟然還會被耍。我反而認爲這樣的人才，應該獲頒德國斑比媒體獎、奧斯卡金像獎以及諾貝爾獎，而且在每個去他媽的大都市裡幫他豎立雕像，刻上名字！我獲得一杯和解的飲料。我小口啜飲，好像荒誕劇小丑嗑著「煩寧鎮靜劑」似的。他們三人就像狗屁一樣與我何干。

將近凌晨四點時，菲爾提出驚天動地的建議，也就是大夥一起到我的住處抽大麻菸。他覺得這種體驗不可不試，竟然「邀請」大家到我那裡！

「我家沒有大麻菸可抽！」我抗拒著。

「你就是有！」菲爾反駁我的話。

「你哪裡曉得我有沒有大麻菸？」

「因爲我上次到你家時，在你那裡偷藏了東西！」

「你偷藏了什麼？」

「我藏了一塊大麻磚，就在你的沙發底下！」

「你爲什麼把毒品藏在我家？」

「如果不藏起來，你早就抽光了！你這個菸槍！」

那兩個空姐一邊吃吃竊笑，一邊監聽我們的對話，彷彿在側邊的觀衆台上看著溫布頓網球決賽。我仍舊無法相信，菲爾竟然在我的住所內私藏毒品。

「你怎麼不把狗屎藏在自己家裡！」我向他吼著。

「很抱歉，西蒙。藏在我家裡太危險了，我是很保守的市井小民！」

「我恨你！」

「我心甘情願讓你恨！」

我們兩個獲得一片掌聲。菲爾・混蛋・孔拉特贏得比賽。儘管計程車招呼站前大排長龍，我們立刻攔到一部車，因爲我假裝不支倒地，那兩個漢莎航空俏妞則大喊「送醫急救」。雖然我自問，爲什麼老是「我」扮演昏厥無力的角色，菲爾就從來不必，但是這個負面想法，馬上被我收到無線電計程車的前座置物抽屜裡。我的那本勵志書提到，「你會變成你所想的樣子」，所以我要抱持正面思想。人必須永遠不斷往好處想才是！畢竟我們正帶著

兩個一級辣妹回我的住所呢！況且：內渠道街仍舊是兩線道！再者：我還活著！我以前曾度過更悽慘的星期六夜晚。譬如說，有回我和老友弗里克在朵林特酒店待到凌晨五點，空等辣妹向我們搭訕。還有到卡林姆和貝雅塔家裡玩牌的那一次，也是窮極無聊。沒錯，今天眞的有搞頭，而且有搞頭的原因，最主要是好戲可在後頭！兩個空姐在自己家裡！而且來自名聲響亮的航空公司！不是那種會因爲涉及非法票價協定，而被拖到歐洲法庭審問的廉價航空公司的廉價空姐。完全相反：這兩個是德國漢莎航空的高級空姐！我的風騷黑道兔女郎穿上空姐制服是什麼模樣呢？

要加牛奶和糖嗎？

當然好啊！對了，我有一項請求：我可以給妳一個火辣舌吻嗎？

我們在這裡還提供69頭尾交錯式，或者快速打手槍……

如果眞的不麻煩，我比較喜歡69頭尾交錯式。

當然沒問題，只是我必須先進行空中商品的銷售服務。

沒關係，我可以等……

「你在那裡嘀咕什麼狗屎？」坐在後座的菲爾大叫著。眞蠢！我酒醉的時候，眞不該這麼「大聲」思考。

「沒什麼！」

噢！我們已經到我家了！

☠ ☠ ☠

菲爾摸著我家沙發的下層，然後自鳴得意地抽出一小包顯然用膠布黏牢的塑膠袋。

「你有紙嗎？」

「在廢紙回收筒裡。」

「王八蛋！」

「你自己才是！」

菲爾的好處，就是當他來訪時，我完全不必招呼他。他知道所有物品放置的地方，自行拿取他想要的東西，不會假惺惺地跟我來那一套無聊的禮節。我還來不及背著菲爾的面把一瓶三十歐元的香檳酒藏起來，那兩個空姐就已經嘖嘖有聲地喝著。我收藏的音樂光碟則原封不動，因爲這個掛著「我今晚肯定有豔遇」招牌的菲爾，播放著他自己透過網路非法下載的電子合成迷幻樂，至於音量是否干擾左右鄰舍，他則顯出一副干他屁事的模樣。巴伐利亞電視台這時正播著「太空之夜」。這是我最喜愛的深夜節目，因爲製作單位特別鎖定了宿醉的夜貓子爲觀衆群——也只有像世界五大洲那麼大的東西，他們才認得出來。我的超大型超薄

電視螢幕，把五大洲影像顯現的清晰無比。

「透露一下吧，你是電信公司T點銷售站的職員，怎麼有辦法消費得起這些東西？」手裡拿著法國上等香檳酒 Moët & Chandon 的卡蒂雅，站在客廳正中央打量我家裡的設備，包括電漿電視螢幕。

「妳聽過欠債這個詞嗎？」

「欠債？難道你這裡的所有東西都是賒購來的？」

「一點也沒錯！所有妳在這裡看到的東西，沒有一樣屬於我的財產！以電漿電視爲例，就算我的經濟情況許可，也還要分期付款四年才能繳清。比較有可能的是，今晚債主就來把我的沙發搬走。」

「鬼扯蛋！」黑道新娘卡蒂雅笑著說，然後喝了一口香檳。

「我說眞的！」

我的伎倆果眞又成功了。我應該撰寫一本書，而且藉此致富：《完全眞相：以事實說謊——西蒙・佩特斯博士的無敵雄辯秘訣》。

正當俄國太空站飄過歐洲時，菲爾一邊露出陰險的獰笑，一邊展示著他在我新買的單身沙發上發現的那本勵志書。

「不煩惱，活下去？卡內基的書？」

眞該死！我以爲我早就把這本書收起來了。最丟臉的，莫過於我在書裡寫的私人筆記。好像在〈中期目標〉那一部分，我甚至寫了「狠狠摑菲爾幾個耳光」這樣的句子。

「那我們就翻來看看吧！」菲爾這傢伙高興地說。

就在千鈞一髮之際，我跳起來搶走他手裡的書。「不可以看！你別亂動我的東西，你這個蠢蛋！」好險，差一點就曝光了。

「西蒙，你有什麼煩惱啊？」

「我的煩惱就是，如果我現在揍你，你這條小命就沒了！」

「是是是……我了解了。我不再問了！這張沙發很不賴，順便問一下，新買的嗎？」

「30C，」我說。

「什麼？30C？」菲爾問。

「這張沙發放在編號30C的貨架上。在IKEA的貨品提取區。顧客必須在那裡自己搬貨！」菲爾從酒瓶裡喝了一口香檳，然後遞給他的馬子。「你怎麼會記得這種狗屎？如果是我，早就把貨架編號忘得一乾二淨了！」

「別把我惹毛了！」

菲爾打了一個誇大的手勢示意。只有默劇演員或醉醺醺的酒鬼才會這樣打手勢，要不然就是爛醉如泥的默劇演員。接著他們遞給我一支大麻菸，我好強地吸著，第一口就過重，搞

得我一邊咳嗽，一邊衝進廁所。既然進了廁所，我也利用這個機會，順便回想整晚發生的事情。

當我幾乎恢復神智時，我沖洗了馬桶、刷了牙，然後偷瞄了一眼鏡子。眞是値得脫帽行禮！我看起來簡直像馬糞。我把電燈關掉，然後躡手躡腳地潛回客廳。在電視畫面上，俄國和平號太空站的太空人，正一邊張嘴接住超大滴無重力漂浮的伏特加酒，一邊對著鏡頭愚蠢地揮手。我不喜歡俄國人，對於無重力的俄國人，我更沒好感。我覺得瑞典人不錯。或者西班牙人。眞是怪哉。其實我覺得國名以S開頭的國家都很棒。

我不在場時，菲爾已經和那個鬈髮小妞一起坐在地板上，而且對她耳邊細語，不知在掰什麼鬼話。我的兔女郎空姐則半睜著眼，瞪著電視上的太空人。我踏進客廳時，她只不過點了一下頭而已。這種場景，讓我不得不先振作精神，以便搞清楚爲什麼這些奇怪的人不在他們自己家裡，卻待在我這裡。我在黑道新娘卡蒂雅旁邊坐了下來。

「我回來了！」

「你剛才有離開嗎？」

太離譜了吧！我應該替這個夜晚畫上句點。正當我在腦海裡盤算著，該如何向這些偷走時間和睡眠的竊賊解釋今晚的派對已經結束時，我感覺到有隻女性溫柔的手輕撫著我的頭髮。我覺得舒服。那種感覺甚至很美。可惜她的手指很快便離開了。

「累了嗎？」這隻手的女主人問道。

「不會啊，」我毫不遲疑地回答，然後身體向她挨近了些。無論如何，我現在必須把握時機打開話題。我屏氣凝神，然後說：

「妳長得很像電影《黑色追緝令》裡的女主角鄔瑪舒曼！」

「眞的嗎？我頭一次聽到！」

「眞的嗎？」

「才怪！其實我老是聽到人家這麼說！這裡！新的菸捲！」

是誰包好的？管它的。我又抽了一口。隨後又一口。然後我查覺到恭維與奉承的時機成熟了。

「妳知道嗎？」我開口說，「可能還沒有人對妳說過，但是……我覺得即使妳很像《黑色追緝令》裡的鄔瑪舒曼，其實……呃……妳看起來像妳自己！」

我望著她質疑的雙眼。

「我看起來像我自己？」

「一點也沒錯！」

「我相信這是我聽過最棒的讚美！」

這招果然奏效！

「我很高興妳這麼覺得！」我得意地說。我把那一捲菸遞還給我的空姐，然後又悄悄挨近了她一些。我確信，每一公分都可換取寶貴的優惠里程作爲酬報，而且就在今夜結束之前，我的累計里程將可兌換優厚的贈品，譬如口交或者特別稀奇的性愛姿勢。我幾乎快坐在她身上了，總之，我們的腿已經碰觸在一起。這是艙位升等的象徵！

可惜的是，對於我這項「領土擴張」的豐功偉業，鄔瑪舒曼根本無動於衷，只是繼續吸著大麻菸。這樣也好。她儘管抽吧，只要她失去一點自制力，我就可以伺機而動。菲爾依然對著他那個圓圓的鬈髮小蝸牛胡扯瞎掰，可是她卻翻著我的光碟收藏套。太爽了！超級菲爾先生對女人也無法不勞而獲。黑道新娘卡蒂雅把大麻菸遞給小蝸牛。可是小蝸牛有如虔根．弗利葛神父，以「謝謝，我不吸毒」的無聊手勢一口拒絕。哈！她不染菸毒。這對於菲爾將是一項大考驗。今夜風水即將輪流轉囉！開派對而深夜晚歸的人，這時候可看到巴伐利亞電視台「太空之夜」的紐西蘭畫面。對於中毒太深而神智不清的人而言，「紐西蘭」的字體像市公車那麼巨大。

砰！

突然間，大麻的毒效從後腦勺攫住了我。一個隱身怪物壓住我的腳，令我動彈不得，另一個怪物在我耳朵裡塞棉花糖，讓我耳聾目花。一切變得昏沉腫脹、麻痺遲鈍，而且我的身體幾乎無法移動。剎那間，我陷入恐慌，害怕音響的喇叭振動膜片朝我飛射而來，把我釘在

沙發椅上。有人允許它們這麼做嗎?當我需要弗利葛神父時,他在哪裡啊?

「菲爾,你把喇叭轉向好嗎?」我好想呼叫他,可是我張不開嘴。我使盡氣力拉起自己的身體,然後把喇叭筒轉到一旁。喇叭筒重如水泥。接著我又向沙發倒下。黑道新娘卡蒂雅注視著我的舉動,可是卻不吭一聲。當我的妄想症稍微減輕時,我才想到音響的喇叭筒即使被我轉了向,鐵定也能拐個彎朝我飛射。或許我可以躲到某個國名以S開頭的國家。在神智恍惚的狀態下,我又起身開窗,深深吸了好幾口空氣。新鮮空氣讓我稍微回神過來。就在我關窗時,我聽見我的黑道新娘正跟我說話。我沒有完全聽懂,但是至少聽到一些片段,譬如「最後一班列車開走了」「現在走路太遠了」。西蒙.佩特斯先生,恭喜你了!你的耐性終於獲得回報!我可以想像得到,當我在售票一空的科隆大型活動會館內,拿著「最佳把妹獎」獎杯鞠躬致詞時,觀眾席上出現一片歡騰與喝采。

謝謝。謝謝。非常感謝!這是我人生中最美的片刻。謝謝。我知道,這一切看起來輕而易舉,但是背後卻隱藏著許多心血。而且若沒有我的工作夥伴,我根本不可能成功。所以我也要感謝菲爾!

「如果我在這裡過夜的話,你方便嗎?」卡蒂雅打斷了我的致詞。

「當然沒問題！現在馬上做嗎？我有保險套！」

「過夜！不是做愛！」

各位女士，各位先生，我拒絕這項荒謬的頒獎。祝各位有個愉快的夜晚！

現場觀眾發出噓聲。在我離開頒獎台之前，我顯然必須再申明幾個重點：

各位女士，各位先生，這是什麼世界？女人依舊不斷向寂寞的男人發出錯誤訊號，讓他們的人生痛苦。她們豈可裝扮得花枝招展到處招蜂引蝶，一會兒流露著「吻我」的目光，一會兒眨著「和我上床」的媚眼！如果不是眞的內心有意，就絕對不能這樣！我想，就連在座第一排濃妝豔抹、看起來像調色盤的女性觀眾，也會同意我的看法。舉個例吧！除了性愛之外，還有什麼因素，會讓酒醉的女人跟一個在酒吧裡認識的男人回家？難道是幫他整理餐具分類盒？還是幫他把亮潔劑倒入洗碗機內？或者是幫他的冰箱冷凍櫃化冰？簡直不可能！我看得出來，你們了解我說的話。

大部分的觀眾以掌聲褒獎我。但是一些無可救藥的女權主義者仍舊噓聲不斷。

「當然只是過夜。我只不過開個玩笑而已！」我對黑道新娘卡蒂雅說。

「是嗎，但願如此！」

我先把交配計畫拋至腦後，因爲一旦這位小姐躺在我的床上，我就有更多正正當當的機會了。只不過我現在好歹也得擺出一副無所謂的樣子，彷彿我們是君子之交，一切再正常也不過了。我把電視節目從「太空之夜」轉換到購物頻道。一個情緒高亢、留著鬍子而且帶著美國腔的傢伙，正在推銷漆著掩護色的遙控直昇機模型。好炫！我一直就想要這種東西！準備在我這裡過夜的空姐，突然出乎意外地親了一下我的臉頰。

「我現在準備睡覺了。你的臥室在哪裡？」

「靠走道，右手邊，直接在經濟艙後面！」我說。

「哈哈哈！」她回答著，並不覺得有什麼奇怪。那一架模型直昇機超炫！蓄著鬍子的美國銷售員說，它的速度有如史密特的貓那般飛快，而且目前只剩下三十四架。我不曉得史密特的貓有多飛快，但是想必非常迅捷。這種直昇機的用途可多了，可以裝上無線攝影機，然後在三溫暖中心的室外區上空盤旋！或者裝上一些東西，然後朝自己討厭的人丟擲。眞是無懈可擊！我非買一台不可。我想知道菲爾的意見如何。

「喂，菲爾？那裡有一架……」

這個蠢蛋已經臥倒在小蝸牛身上卿卿我我了。我很懷疑他是否還能聽見。他的皮夾正放

在桌上。我打開皮夾時，下巴差點掉下來。這個混帳有一張萬事達金卡！竟然還坑我！偏偏坑我這個戶頭裡只有八千塊的人！我把他的信用卡號碼和有效日期抄在我的香菸盒上，然後抓起我的手機，撥了電話郵購號碼。

「早安……我是菲爾．孔拉特……我想訂購正在你們節目裡飛來飛去的戰鬥直昇機。是不是也可以用來扔擲東西？眞的？太酷了。是是……當然……沒有，萬事達卡，是的……」

眞是具有世界頂級水準的購物頻道！短短三分鐘之內，我就已經買下了這個東西。而且既然我正在購物熱線上，我也順便訂購了影視明星查克．羅禮士的全能健身器以及七件式刀具組。當我掛上電話時，那個誘姦小蝸牛的混蛋菲爾已經把手放在她的內褲裡了。這個景象讓我想起，還有一個火辣空姐躺在我床上，渴望以野性的方式和我做愛。我基於禮貌刷了牙，然後悄悄潛入臥房。我根本不知道爲什麼我需要如此躡手躡腳，畢竟連一隻母豬都懶得理我。刷牙也是多此一舉。原因：躺在床鋪正中央的兔女郎空姐，身上穿著我的美國影集演員愛爾．邦迪T恤，沉睡得有如石頭。現在該怎麼辦？我故意大聲敲了桌子幾下，又說了像「唉，枕頭跑哪去了？」這類的話。

完全沒有回應！她睡得甚至像一個沉重的大石頭。

接著我又說得更大聲，最後甚至拉大嗓門喊。仍然毫無回應。她睡得簡直像花崗岩！這時客廳傳來清楚的叫聲，讓我實在消受不起。至少在我家裡又有了性生活。碰上這種狗屎！

我把燈關了，在黑道新娘卡蒂雅和我身上蓋了一條毯子——她在床上留給我四十公分寬的位置。太棒了！我不但不能嘿咻，還必須在經濟艙過夜。竟有這等事！我稍微挨近了她一些，輕聲細語在她耳邊說「晚安」，然後說「祝妳有個狗屎夢，夢到醜陋的怪獸，驚嚇到醒來一身汗」！

之後我轉身回到我的四十公分位置，並且瞄了鬧鐘一眼。將近凌晨四點。我可以打電話給我的同事弗里克，然後再和他到朵林特酒店去呆坐，等待正妹過來向我們搭訕。可是因爲我想到卡內基說的「你會變成你所想的樣子！」，所以便放棄了這個主意。要抱持正面的想法，西蒙！躺在你身邊的女孩信賴你，否則就不會這樣半裸地睡在陌生男子的床上。所以說：當一位君子不是很棒的事嗎？

客廳似乎傳來陣陣呻吟。

不！當一位君子一點都不棒。一股混合著嫉妒和純粹怨恨的情緒，直直逼入我的骨髓。彷彿這一切還不夠悲慘似的，我眼前又出現了標示著30C的高大貨架。這個愚蠢的矮子！他應該把編號30C寫下來才是！我輾轉反側，轉右轉左，轉上轉下。突然間我聽到嗤嗤笑聲，接著客廳的門被關上了。我又把燈打開，開始打點度假用的行李。

3 貓女郎

「你瘋了嗎？風浪板不可以衝那麼遠！」度假俱樂部裡衆所矚目的金髮女郎一邊粗聲責備我，一邊丟給我一條繩子。

「這裡！接住！我把你拉回船上！」

我不曉得自己在大西洋上無助地飄流了多久。我也不知道為了把好幾噸重的風帆重新拉起，我試圖抓住衝浪板已有多少次。我只知道沙灘離我愈來愈遠。不過，在這艘裝著轟隆作響的日本三葉馬達、向我駛近的小艇上，正是整個度假俱樂部裡最冶豔的餘興節目女公關，這讓我心裡暗爽不已。她穿著黑色的潛水防寒衣，看起來有如〇〇七龐德女郎。可惜我沒有准許嘿咻的證照，只有住嘴和被拯救的份。我緊緊抓住我的練習用衝浪板，然後破例閉上我的嘴。

「抓住繩子，不要東張西望！」

如果有人以為，所有度假俱樂部裡負責餘興節目的女公關總是嫵媚地微笑，那就錯了。

有一些也會大聲吼人，尤其是那些穿著緊身衝浪衣的！

「我們不是已經說過了，不該衝浪衝那麼遠嗎！」

老天，她惱火了！

「不是我衝浪，是我被浪沖走了！」我一邊辯解，一邊抓著繩子把自己拖向她的小艇。我那副模樣，看起來有點像被端上餐桌之前的日本河豚。並非我看過這種魚被端上餐桌之前的樣子，但是我相當確定，牠的目光和我的沒有兩樣。

「上來！」我的龐德女郎怒吼著。我一點也不如情報員那般身手矯捷，反而像雜技藝人走鋼絲似的，踉踉蹌蹌地從衝浪板爬入橡皮艇，而且還差點跌入水中。這時，我聽見俱樂部沙灘上傳出了鼓掌聲。眞是令人反胃又噁心的全套式度假村旅遊！

「謝謝！妳救了我的命！」我吞吞吐吐地說。

「我救了你一命或許一點都沒錯。你有沒有看見那邊有礁岩？」

「那些礁岩會自己注意安全的！」

她笑也沒笑，只是發動了外裝馬達，然後載著我，連同我那三點七平方公尺大的帆篷以及練習用衝浪板返回沙灘。

我們從大聲喧譁的度假村遊客身邊經過，然後拖著橡皮艇越過小木橋，直到水上活動中心內。那些團員趴在洗壞的度假村海灘浴巾上，曬著像奶酪一樣白的大都市人背部。我把他

們的閒言閒語完全當耳邊風。我只想沖個澡，休息一下。如果連最後一個晚上都泡湯，我也不曉得該怎麼辦了。花了八百九十九歐元參加爲期一個禮拜的單身俱樂部，我可不想連一次做愛的機會都沒有。

三個鐘頭後，我和一個來自黑森邦的證券分析師同坐在舞池旁的小桌前。由於我們在加納利群島上，因此不僅是舞池，連室外的桌子也都置於游泳池旁邊。桌上光影閃爍的小圓蠟燭，和我家裡的一模一樣。想必在加納利群島上也有ＩＫＥＡ的家具店。當心！太遲了。我的「30C」又浮現在腦海裡。

「她跳舞的樣子像婊子！」來自黑森邦的證券分析師，用裝飾雞尾酒的俗氣小紙傘刺著一片鳳梨，滿臉漲紅地咕噥著。因爲舞池上沒有人血流成河地暴斃，可見他的舉動和巫毒術無關。不過，即使對人性心理缺乏概念，也能輕易看出這位之前還頗得人緣的銀行家，即將變身爲冷血無情的狙擊手，用衝鋒槍把整個俱樂部舞廳的室外區化爲一片灰燼。度假村旅遊公司的廣告標語「情感奔放的時刻」，果眞是一語中的。假如是因爲音樂的緣故，我還能理解。舞池上正播放著喬庫克的音樂，然而喬庫克並非他的問題所在。他的問題，是和他一起度假的那個女人。

我請這個吃醋的銀行家抽一根菸，以轉移他的注意力。

「西蒙，你看看她，像個婊子！」

「這裡，打火機！」

他不但沒有點菸，反而還把香菸拋到舞池內。我覺得把香菸扔到舞池內的舉動，和戴著無框設計師眼鏡、穿著BOSS西裝外套的人不搭調。況且我很怕他因爲氣炸而頭殼爆裂。

「現在她甚至向那個前東德的土包子投懷送抱！」

「那是我的網球教練。」我告訴他。

「我才不在乎他是誰。東德土包子就是東德土包子！可悲的西德人！我倒覺得這樣說比較正確。飛了將近三千公里，就爲了展現自己交到一個巴西的超級美女，結果卻每天晚上像隻落水狗，只因爲這個巴西塔糖山小姐和每個男人調情，只要他們的信用卡還有四個禮拜以上的有效日期。唉唷！她神不知鬼不覺地走過來了。

「葛雷果，信用卡拿來！」

我相信那是葡萄牙語，意思差不多是「我愛你！」

令我無法置信的是，這樣一個事業有成的投資專家，竟然不和女友分手，以便立刻省下幾十萬歐元，反而還二話不說就給了她俱樂部信用卡。

「可別又是空卡！」她威脅著說，然後踩著碎步走回吧台，好似美國影集《凡夫俗妻妙寶貝》裡的佩姬·邦迪。

必須註明的是，巴西腔聽起來實在酷到爆。而且她身材惹火，舉例來說，她擁有百分之

百傲人的騷莎舞翹臀。騷莎舞翹臀根本是煉獄！每個電視節目對南美洲所做的專題報導中，都故意以這類大膽的性挑逗折磨我們。在這種騷莎舞翹臀的迷惑下，根本沒有人捨得轉台！不管是什麼專題，某些性生活失調的影片剪接員，總是把騷莎舞翹臀穿插到報導中。南美洲跌入債務陷阱？結果出現幾段騷莎舞翹臀的畫面！在巴西薩爾瓦多市街頭吸食強力膠的兒童？騷莎舞翹臀的畫面！布宜諾斯艾利斯附近的油輪意外事故？騷莎舞翹臀的畫面當然也不可或缺……

只有MTV音樂台膽敢沒有任何理由就播出騷莎舞翹臀。慢動作畫面上，那些穿著丁字褲緩緩扭動胴體、目光流露春情的蕩婦，個個擁有歌手夏奇拉圓潤無瑕的美臀。她們誘使超級痞子如傑斯（Jay-Z）和史奴比狗狗（Snoop Dogg）坐上她們抹得油亮亮的BMW引擎蓋。或者是她們的美臀抹得油亮亮？無所謂了，反正我現在興致正高昂。可是我竟然坐在一個怒髮衝冠的證券經理旁邊，還沒有去搭訕女人。我從玻璃瓶裡喝了一口貝克啤酒。菲爾，再次感謝你建議我參加「單身旅遊俱樂部」啊！顧名思義，保證你度假結束時仍是光棍一個。我耳邊又響起他大肆吹噓的話：「拜託，西蒙！在那裡你可以每天晚上把不同的馬子。我告訴你，你就盡量嘿咻，直到必須呼叫求醫！」確實有醫生到場——爲了救一個在水彩課上舉起畫筆而昏厥的七十歲老翁。更絕的是，前天我和菲爾傳手機簡訊時，才曉得他自己根本還沒來過這裡。他只是聽說這個俱樂部適合單身男女參加而已。怎麼會有這種大笨蛋！去他媽

的，反正已經到了最後一晚，也沒什麼輸不起的事了。我的皮膚已經曬成古銅色，小命剛才也被拯救了，而且我覺得自己頗爲性感。

「嗨，西蒙！今天的海上救難行動可眞酷！我聽說愛妮塔必須把你拖上岸，要不然你差點就慘遭滅頂！」

這是編號第十六號的風涼話，由一個來自巴登區的健身腳踏車教練口中冒出。他拿著三瓶啤酒飛快地從我身邊經過。

「我很高興這場救難行動討你歡心！」

黑森邦投資理財專家側目而視的表情，洩露了他仍舊忿忿不平，無法冷靜下來。說眞的，他並不是多出色的男人。但劇情總是如出一轍：沉悶無趣的致富新貴，愛搞擁有騷莎舞翹臀的巴西女人。原因何在？三個字母：SLK！我指的是賓士車，不是樂透。這個等級的車，他似乎就有三部。不過也有可能只是他跟我講了三遍而已。

「西蒙你看，她像個婊子！跳舞的模樣就像個婊子！」

「巴西女人本來就比黑森邦的德國女人會跳舞！」在他差點又跳起來準備跟她分手之前，我這樣安慰他。

「就因爲比較會跳舞，所以我得花十倍的錢養她！」

「爲什麼她就是不和你跳舞？」我想知道。

「因為我不會跳。我的動作太僵硬。」

「誰說的？」

「她說的。」

「唉！」

「你的夢中情人又在哪裡呢？」他瞅著我笑。我要他閉嘴，然後暗示他，那個東德土包子網球教練正把腳移到騷莎舞翹臀之間，儘管克利斯迪博夫的歌曲〈紅衣女郎〉一點也不需要這種動作。

我說：「喔，東德土包子跳得可真好！」我這句話立刻奏效。

「現在我可受夠了！」

我還來不及攔住這位黑森邦仁兄，他便已經跳起來，穿過那群穿著花襯衫的養老金領取人，然後把他的巴卡第可樂調酒往仇敵的臉上潑去。眞是尊嚴掃地啊！男人不用雞尾酒潑別人的臉。同理，他們也不眨眼、搔癢或者購買優格夾心巧克力。他們不做這種事，因為他們是男子漢！因為男子漢買的是瑪爾斯巧克力棒，而且瀟灑地塞進嘴裡。

「你這個無聊的變態！」騷莎舞翹臀破口大罵，而且賞了他這個軟腳蝦一記耳光。接下來，我必須和大約一百多名度假俱樂部成員冷眼旁觀，望著塔糖山小姐扯著手腳揮舞、戴著名牌眼鏡的投資專家的耳朵離開舞池，好像把一條狗從餐桌拉開似的。想像一下這種光景！

被拉著耳朵！我替他感到羞恥。那麼現在呢？現在我在幹嘛？現在我正獨坐在加納利群島上燃著燭光的小桌旁。一個耳朵很大的軟體工程師，咧嘴微笑向我挨近。我昨天打網球時擊敗了他。親愛的老天爺，拜託別讓他在我這一桌坐下來！

「今天你的屁股在海上被撈起來，對不對？」

「那是我費盡心力安排出來的！」

他繼續往前走了，我則用最後一根火柴點燃丹麥王子菸。幾秒鐘之後，小桌上的燭光熄滅了，彷彿預示著某種兆頭。唉，我的傑出社交計畫，果眞獲得了代價：孤單。只有我和我的加納利群島小桌，連蠟燭都沒有。

由於時間仍然相當早，俱樂部舞廳要等到午夜才會充滿訪客，所以我在吧台又點了一瓶貝克啤酒。我決定留在那裡觀望一會。所有的常客都在場，和每天晚上一樣枯燥乏味。

外貌像德國前國家足球隊教練魯迪．沃勒的單身漢，被稱爲「凱特阿姨」，三十年來都在每年二月到這裡度假。若是提錯了問題，譬如問他「以前這裡是什麼樣子」，你的整個晚上就泡湯了。離他幾公尺遠的地方，有一些蠢蛋站在「單身客桌」旁。這是俱樂部管理處的絕招：就在用餐區的那張桌子上，以大型而且從遠處便能輕易辨識的牌子標示著「單身客桌」。這種桌子的功效是，如果一個小時過後仍舊沒有人嚎啕大哭，在座的單身男女尙可感到一絲安慰。只有一晚，我也坐在「單身客桌」體驗這種凄涼的感受，幸虧俱樂部沒有提供

「割腕」的試聽課程，否則我早已因爲抑鬱寡歡，拿著一大包「吉列」刮鬍刀片坐在浴缸裡了。「單身客桌」上的「單身話題」也總是老調重彈，玩不出新花樣。

「嘿，你單身多久了？」

「將近一年了。你呢？」

「唉……我根本不知道有多久了……我已經漸漸覺得，自己再也找不到對象了！但是我認爲自己也做錯了很多事。」

「嘿，我去沙灘上逛逛，然後讓海水把我淹沒！」

「好吧。很高興認識你！啊，等一下，我也想一起去！」

結果總是不變：湊在一塊的仍是情場失敗的單身人。甚至臉上毛細孔像草莓一般的彼特，也已經和來自艾森市的「超級壁花」芾蘿戀愛三天了，而且今天早晨我在「健康自助早餐吧」看到他們倆時，幾乎產生了一種印象——這個世界的痛苦，已經不再沉重地壓著這對情侶脆弱的肩膀。但是我的肩膀呢？我正喝著第四瓶啤酒，等著俱樂部董事長親自頒獎給我，獎章上刻著題詞：「俱樂部裡最寂寞的人」。

接著我又連續喝了兩瓶貝克啤酒。當DJ播放著「氣象女孩」的歌〈下著男人雨〉時，我點了我的第一杯威士忌。這時，俱樂部劇院的大門打開了，一堆心情好到欠扁的人蜂擁而

出。

「今天的秀很精采！」一個來自杜塞多夫、身材臃腫的胖女士向我透露。她戴著一副好幾噸重的鑽石鑲邊眼鏡。

「演了什麼戲？」雖然我根本不想知道，還是問了。

「當然是音樂劇《貓》啊！」

「可是這齣戲已經上演一整個禮拜了！」

「今天演得特別好！」

我點了第二杯威士忌。就在這時，龐德女郎在我的肩膀敲了一下。是愛妮塔！這次她沒有穿潛水防寒衣，而是以一襲貓裝出現。也很性感！

「還好吧？最後一晚了，對嗎？」她眨眨眼睛。雖然我的目光帶著醉意，我試著清醒地看著她。不過，我大概看起來又很像河豚。

「妳是……妳簡直就是一隻貓啊！我的救命小貓咪！」我張口結舌地說。

若論及性感，這一襲貼身的貓裝與緊身防寒衣相較之下，更是有過之而無不及。根本就是一種大膽的挑逗。剛才我體內的荷爾蒙已自行調到待命狀態。她的突然出現，又令我全身激情起來。性感女人應該穿上馬戲團的戲棚，而不是這種讓人血脈賁張的衣服。

「妳爲什麼穿這樣？」我想知道。

「那當然是因爲《貓》劇。這是我們正在演的戲啊！我原本以爲會在觀衆席上看到你！」

「我在塡寫報稅單，所以缺席！」

這種俱樂部式的胡亂哈拉毫無意義可言，我只是在浪費時間。想和餘興節目的男女公關談感情，根本不會有結果，而且他們愈是親切和善，愈是沒有希望可言。許多人總是忘記這一點。這些男女公關把他們的笑容賣給了旅遊業界的老鴇。他們的笑容只是假貨，愛妮塔也不例外。就連我和她講話的這一刻，她還對著其他俱樂部成員點頭打招呼。歡迎參加「事實大檢定」！檢定結果：沒有機會。然而她的一個問題，卻讓我著實跌破眼鏡：

「你想不想和我喝杯酒？」

「現在？這裡嗎？」

「在我的陽台比較好。我覺得這裡太多人了！」

在她的陽台？她問我願不願意去她那裡，在她的陽台上喝杯酒？和龐德女郎？我剛才還自以爲了解了單身俱樂部的實質，結果卻發生這種事。這個俱樂部是唯一的嚴重誤解。這裡的一切都是幻象，有如電影《楚門的世界》超大型翻版，由德國TUI途易旅遊集團以及電影《駭客任務》的製作群所煽動策畫。愛妮塔是餘興節目女公關。她辛苦工作了一個禮拜，所以一時說錯了話，現在一定反悔了。

「妳邀請我去妳那裡？」

「有什麼不可？」

這個狐狸精豈可在十秒鐘之內，就將我的整個俱樂部理論推翻得一乾二淨？她怎麼能夠以妖媚的微笑，打碎我今晚可憐而微不足道的計畫？到底爲什麼？我不想冒風險，因此我回答：「當然好啊！」

「那就一個小時後如何？我必須先換掉貓裝，然後沖個澡！」

她還補充說明。我根本無法想像她更衣沐浴的模樣。

「妳的陽台在哪裡？呃……我是指妳的房間在哪裡？」

「79 B，就在網球場後方！」

「我帶瓶酒過去！」

「太棒了，那麼就待會見！」

接著她便離去。我凝視著那個西班牙籍的調酒師，想要印證剛才愛妮塔說的話一點都不假，然而他只是調著一杯又一杯的古巴薄荷蘭姆雞尾酒 Mojito。

愛妮塔！一個鐘頭之後！我感到有些壓力。我把威士忌擺到一旁，頂著我那顆重得發綠、像被棒子槌打過的「貝克啤酒頭」，飛快地踩著螺旋鐵梯下樓，踏入依然有些空蕩的迪斯可舞廳。我整個人飄飄然……吧台旁邊坐著那個東德土包子網球教練，身邊沒有塔糖山小

姐的陪伴，只有一杯雞尾酒。他看起來並不怎麼快樂。喂！餘興活動公關是夢寐以求的高薪職業才怪，代價就是肝功能指數異常。

「嗨，麥克！」

「西蒙！」

他蒼白的臉上，掠過一絲虛弱的微笑。

「你請我喝一杯好嗎？」他帶著淺淺的薩克森邦口音問我。

「沒問題，你想喝什麼？」

「琴湯尼！」

因爲我想讓加納利群島上的員工感受到我很欣賞該島的文化和語言，於是我用「西班牙語」點酒。

「請來兩杯琴湯尼！」

「西蒙，你知道嗎？這個俱樂部簡直是狗屎監獄！」

唉喲！我的東德土包子網球教練，已經利用「塔糖山豔遇事件」以及把下一個辣妹之間的空檔，當起酒醉的哲學家胡言亂語了。

「怎麼會？很棒啊！永遠陽光普照，度假勝地……」我反駁道。他的目光透露出他對我的話並不苟同。

「好像我們以前的生活！就像在前東德一樣……四周是圍籬，每個人都裝出一副快樂的模樣，而且我們也沒什麼錢！」我尙未有過這種想法。但是我懂他的意思。

「最後一晚了，對嗎？」

「是啊！」

「你是不是覺得愛妮塔不錯？」

這個俱樂部不是監獄。這個俱樂部是凡事人盡皆知的小鄉村！

「我甚至覺得她很棒。我……呃……等一下要和她碰面，一起喝酒，在她那裡！」

麥克蹙起了額頭，把他的琴湯泥空酒杯擱到一邊，然後將裝飾雞尾酒的小紙傘扔到水槽裡。我佩服得五體投地！只一眨眼的功夫，他就把飲料喝得一滴不剩。

「眞的？她從來沒這樣！」

「她從來不喝酒嗎？」

「她從來不邀請遊客到她那裡去。沒想到自以爲很熟的同事，還是有令人出乎意料的舉動……你知道嗎？她不久就要離職了。她要搬去科隆。這事還不能說出去……」

「她要搬去科隆？『我』就住在那裡啊！」

「『你』就住在那裡？所以科隆就沒有空位了嗎？」

「哈哈……不是啦，我只是很驚訝罷了！」

「喂！西蒙，她覺得你也不賴！」

「你是說眞的嗎？」

「她自己說的啊！」

「哦……」

我和愛妮塔！在科隆！這倒是有發展性！在完全不受全套式度假村旅遊團員的干擾下，我們倆可以一起到酒館喝酒、在萊茵河畔散步，或者就閒在家裡看電視節目「星星論壇」！這時我察覺到自己想離開酒吧，逐步實現這個夢想。我必須去她那裡。就是現在。刻不容緩。

我從高腳凳上滑下來。爲了答謝麥克給我的這個大好消息，我擁抱了他一下。

「嘿，不必客氣。謝謝你請的這杯琴湯尼！」

就在我快要離去時，他又把我拉過去。

「西蒙，我可不可以再給你一個小建議？」

「隨時可以！」

「你知道嗎？愛妮塔，呃……她離職的原因，是因爲受不了俱樂部遊客死纏爛打的追求。嗯……總之她是令人垂涎欲滴的櫻桃。還有啊，她一點也不喜歡談話內容涉及想跟她上床這回事。因此，如果你眞的對她有興趣，我指的是眞心眞意，那麼你最好今晚安分守己一

些，知道嗎？」

我知道。就像踢足球一樣，把球盯住，適時把腳向後挪動，從身體側邊將球踢出，而且務必維持低平的高度，不可飛得過高。神智彷彿進入催眠狀態的我，把香菸盒收好，然後踏著笨重的腳步離開。她將搬往科隆！該是從夢幻世界清醒、睜眼注意現實生活的時候了！她將搬到我住的都市！在同一個都市！在我的都市！我絕不能出槌。假如有任何不能搞砸的事，就是這件了！原因我清楚得很。因爲我已經經歷了半年沒有性生活的日子，又受到騷莎舞翹臀、緊身防寒衣以及貓裝的感官刺激，以致於我動輒產生性衝動，甚至在看完安娜·威爾主播的「每日新聞」後，我也必須沖個冷水澡才行。同理，如果我打開愛妮塔的小木屋房門，自然也會發現安娜·威爾的同類：一個女人！

叩叩。叩叩。哈囉，愛妮塔。在臉頰上親吻示禮。只需一個失當的動作、一句愚蠢的話，一切就泡湯了。除非……

正是！

就是這個沒錯！

我需要的正是一個妙計！一個保證我今晚不會血脈賁張，又保障我和愛妮塔未來的妙計。我把我的香菸彈進兒童游泳池內，然後踏著堅決的步伐回到我的單身小木屋。我鎖上我的臥室門，拉下百葉窗，轉開電視。用遙控器按掉兩個無聊的脫口秀節目之後，便直接切換

到我的興趣所在：耗費心血製作的五秒鐘廉價廣告片。數名妖嬌的棕髮大學女生，懶洋洋地躺在便宜的寢具上伸展胴體，懇求觀眾打電話給她們。

電話號碼是0190-676767的香妲兒，火辣淫蕩得不得了，讓我達到第一次高潮。一個守著寂寞香閨、性飢渴的家庭主婦，好像住在我家附近的區域，讓我獲得第二次高潮。我的第三次高潮似乎挑錯了時間，因爲購物台上正推銷著一百七十九歐元的快鍋組。我根本不曉得自己這麼有雄風！我要感謝達恩福WMF廚具啊！假如有一天我舉不起來，我一定會想著你們的產品！我的腦海裡掠過嘗試第四次的想法，然而那個電話號碼0059-888888的六十歲秘書，身材臃腫，讓我有點倒胃口。遊戲結束。「小木屋風暴行動」任務完成。我感到心滿意足。短短十五分鐘之內，我把性欲發洩得精光，就算和一絲不掛的歌手夏奇拉喝一杯蜂蜜牛奶，我也能夠坐懷不亂，和她談論第三世界國家的債務問題。

儘管如此，當我帶著那瓶從自助餐廳順手牽羊的葡萄酒，身上穿著乾淨的襯衫，漸漸靠近編號79B的小木屋時，我仍然有些緊張。更確切地說，我甚至非常緊張。這種心情，我在十三歲那年也曾體驗過。那時，我第一次和女孩相約去吃冰淇淋，在我付錢請客之後，她才

允許我在她的額頭上親一下。我相信是這樣的情形。是嗎？嗯，不對不對……她在這之前就溜掉了。沒想到經過這些年，我自己還混淆事實，胡亂編湊。啊……已到了75號小木屋，接著是76號……我已經覺得渾身不舒服。然而我不確定是貝克啤酒還是威士忌惹的禍，或者是我太過興奮的緣故。也可能是因爲我陷入熱戀的關係！眼前是78號小木屋。

79號到了，緊接著是79B。

我感覺到我的脈搏瘋狂加速，從有助體脂燃燒的功能，逐漸轉爲有利心臟衰竭。小木屋的窗戶邊搖曳著燭光。一定就是這裡了。我敲著半掩的門。

「哈囉？這裡住著一隻貓嗎？」

「門已經開著了……」

兩行IKEA的小圓蠟燭，沿著小走道兩旁排著，引導我走向一間布置得賞心悅目的小客廳兼睡房。我又情不自禁地想到30C。那個愚蠢又可惡的矮子銷售員，眞的應該把編號寫給我才對！房間內的陳設很舒適，而且散發著香草味、淋浴過後的熱氣，以及溫暖的女人香。牆上義務性地掛著古巴革命英雄切·格瓦拉的海報。黑色的絲緞床套上放著貓裝。只有愛妮塔不見人影。

「妳在哪裡？」

「繼續走，在陽台上！」

我向前走，穿過一面七〇年代風格的屏風後，便置身在一個極小的陽台。陽台上擺著兩張有趣的小吃店座椅和一小張馬賽克磚桌。桌上已經擺著一瓶酒。可惜陽台面對的並非大西洋，而是四線道的環狀公路。一部來自英國的旅遊巴士正轟隆作響地駛過。

愛妮塔把她的古銅色雙腿跨在陽台的灰泥牆上，輕輕拭去前額的一撮捲髮，遞給我一只過滿的酒杯。我的天啊！多麼撩人的兩片朱唇。她不必化妝就可以登上《VOGUE》雜誌的封面。

「很高興你來了！」

「很高興……呃……」

誰教教我這種句子怎麼造？狗屎！我好緊張。

「很高興……呃……呃……我們都到齊了！這是……葡萄酒！」

「噢……那是我們俱樂部餐桌上的葡萄酒。可口！」

「呃……」我一邊說著，一邊就在愛妮塔旁邊坐了下來。她這回仍然沒穿上馬戲團的戲棚。她的上半身簡直就像沒穿一樣，但我覺得也可以視爲腹部露空的迷你罩衫。不過，幸虧我事先完成了英雄式的「三回合性行動」，所以我感到無所謂。我意識到某種壓力，迫使我談論加納利群島的公共設施。「太妙了，」我一邊說著，一邊帶著讚賞的目光望著面前的環狀公路。

「這是FV2！」龐德女郎告訴我。

「這個簡稱的原名是什麼？」

「天曉得，就是FFFFVVVV環狀公路嘛！」

我們互望了一眼，接著便忍不住笑了出來。FV環狀公路果眞非常有用，不僅締造了就業機會，也讓度假的遊客毫不費力地前往「全套包旅遊」飯店，更營造了我和愛妮塔之間輕鬆的氣氛。

「要不要碰杯一下？」

「當然！」

她幫我倒酒，然後舉起她的酒杯，凝望著我的眼睛。水汪汪的秋波閃閃動人，挑起我的心弦！我的心頓時脫軌，跌到胃部區域。千萬別這樣。太遲了——已經發生了！

「替誰碰杯好呢？」她問我。她的音調簡直是淫蕩的代名詞。

「不如替……俱樂部碰杯？」我小心翼翼地試探。

「絕對不要！」

「那就……爲我倆碰杯好嗎？」

「這樣比較好。那就爲我們碰杯！」

我的脈搏完全不聽使喚地加速狂跳。這個女人很棒，無庸置疑。我不知道爲什麼，但是

我們倆還替前任情人乾杯。接下來和她相處的情景，無不充滿了逗趣與愉悅的氣氛。根本就是太美了。我們一邊飲酒，一邊東拉西扯地閒聊。我們讚賞著天上的明月，感謝它爲我們締造浪漫的夜晚。我們以加納利群島的版本，混雜著德語，亂唱著我們最喜愛的歌謠〈小蜜蜂瑪雅〉：

「很久很久以前……」我開始唱著，「在一個不知名的國度裡……」

「有一隻有名的小蜜蜂……」她煞有介事地認眞補充著。但是她的歌聲完美無瑕，想必是公關職務所累積的經驗。「我所說的這隻小蜜蜂很聰明，名叫瑪雅……」

我們笑個不停，無法自拔。我們開了第二瓶酒，模仿著患了妄想症的黑森邦投資專家、凱特阿姨，還有東德土包子網球教練兼酒鬼麥克。一切都依照我的計畫進行，百分之百天衣無縫。她愛上我了。我是身體語言的內行人，所以一下子就察覺出她的愛意。她的笑容與眼神，暗示著一切正上軌道！況且她觸摸了我的腿三次。不論男女老少，他們一看到我就知道，我又不是那種「嘿，妳要不要做愛」的變態。再過一個小時，我就留下我在科隆的地址，然後在她的額頭上親吻告別。

我以爲是這樣。

結果卻不是這樣。

「西蒙，我要跟你上床！」

我帶著因驚嚇過度而凍結的微笑，連同酒杯與香菸，一起撞上水上活動中心前的礁岩。坊間常說，瀕臨死亡之時，人的一生將在眼前重現。雖然在我眼前只出現了這七天的假期，可是我整個人卻陷入了數秒鐘的空白，無法言語。又有一部旅遊巴士轟隆作響地駛過FV環狀道路。此刻我眞想坐在那輛巴士裡，開到哪裡我都無所謂。遭糕透頂的是，愛妮塔竟然握住我的手，在我耳邊呵氣低語：

「現在！」

那裡又有一部旅遊巴士。我認爲，是來自荷蘭。他們需要數天的旅程，才能到南方的加納利群島！而且還擠在窄得可憐的座位上！萬一又長得像我一樣高怎麼辦！我清清嗓子，發出尖銳的聲音說：

「可是爲什麼……我是指，爲什麼偏偏要現在呢？」

太棒了，西蒙。你說出了一句完整的話！

「我對你有『性』趣！況且……呃……爲了讓你安心，我就告訴你吧……因爲你明天就搭機離開了。」

「什麼？因爲我明天就搭機離開？」

我顫抖地點燃一根菸。

老天有眼嗎？豈可允許這種事發生？而且我眞該死，竟然像個大白痴一樣異想天開，

想出這種自慰三次的伎倆。由於我只是輕聲自問而已，所以愛妮塔也絲毫不退卻，逕自在我的腿上坐了下來，然後給我一個很濕的吻做爲安慰。我可以看到她的裙子底下一絲不掛。然而，我純粹只是注意到這個事實，並沒有產生男人應有的性衝動。達恩福廚具，多謝啊！

「嘿！我是要跟你上床，不是要和你結婚。而且我覺得你也很想……」

「可是妳不是要搬到科隆了嗎！」我洩氣地細聲說。

「等我的男朋友找到房子就搬！」

在我內心深處的超薄液晶螢幕上，我看見俱樂部董事長把「俱樂部裡最寂寞的人」獎章從我的脖子扯下，然後掛上「俱樂部史上最蠢的大白痴」獎章。我現在眞想找一個射擊好手，委託他從衝浪中心的屋頂直接把我槍斃，既乾脆又沒有痛苦。可是雇用射擊手所費不貲，而我已經把錢全部揮霍在喝酒買醉上了。

她撫摸著我的頭髮。

「來，我們進去裡面吧！」

這是我從窗裡掛出白旗的時刻，也是我向命運低頭的時刻。但是我曉得，照樣也有掛白旗的人被射殺。我彷彿是第一天上學的小孩，讓她帶著我進入臥室，然後倒向床鋪。這時，我很想把「懸梁自盡」繩索套在自己脖子上，把椅子擺在適當的位置。正當這個念頭縈繞我的思緒時，俱樂部裡最性感的女人褪去她的裙子，緊緊依偎著我。實在無法責怪愛妮塔不盡

心盡力幫助我勃起。確切的說，她甚至無所不用其極，試遍各種方法。我曾經在電視節目《可愛的罪孽》以及菲爾的A片裡，見識過這些方法。要不是因爲我現在精疲力竭，我可能會享有這輩子最激情的夜晚。然而這一切都泡湯了……

我試圖想著達恩福廚具，卻無濟於事。這是天大的災難！是西蒙·佩特斯最丟男人臉的嚴重意外事故！俱樂部裡最惹火的辣妹，正趴在我身上。她的才華，足以獲頒奧斯卡最佳色情片女主角的殊榮，而我卻乾躺在那裡，有如美軍「關塔那摩基地」上被中情局審訊兩天之後快渴死的受刑人。

當我確定今晚再也舉不起來時，我說：「很抱歉。問題不在於妳！」

「沒關係，」她抱著我說。

儘管如此，她還是要我離開。

☠ ☠ ☠

我坐在寂寞的俱樂部沙灘上，身邊只有一杯薄荷蘭姆調酒以及最後一支菸。沙子摸起來仍然很暖和，似乎很適合讓人在這裡過夜。明天我將搭機離去，返回我那既不起眼又槁木死灰的生活，返回寬頻網路的銷售服務世界，返回電視機前的每個單身沙發夜晚。我聽見某處

傳來笑聲，是幾個「單身客桌」的蠢蛋發出來的。他們可能正在沙灘上做愛吧。我回想著下午時，愛妮塔以馬達橡皮艇把我拖回沙灘的情景。她說，我差點就撞上危險的礁石。這就對了，危險的礁石。當我打開水上活動中心的木門時，我看見黑森邦的銀行專家獨坐在小船靠岸的木橋上，手裡拿著酒瓶，頭髮蓬亂不整。

「嘿……西蒙，我看見你和愛妮塔在酒吧裡聊天。你把她追到手了嗎？」

我從倉庫裡拿出練習用衝浪板，並且鬆手讓它落在沙上。

「就這麼說吧……我達到三次高潮！」

「眞不賴！」

「是啊，你和你的小甜心呢？」

「她和我分手了！」

「她提的？不是你要求的？」

「不是，是她！」

我又從倉庫裡拿出另一個練習用衝浪板，然後放在他旁邊。雖然我們兩個都喝醉了，但是只需要幸運之神的一點眷顧，要衝向危險的礁石並不難。

4 我的清潔婦拉拉

飛行了五個小時之後，我疲累不堪地打開我的公寓門，撞見拉拉正一邊聽著克羅埃西亞民謠，一邊以熨斗燙著我的襯衫。沒錯，拉拉是幫我打掃的清潔婦。不過，她爲何不在我出國度假的一週清掃，偏偏挑在今天，簡直是個謎。

「西——蒙！」她拉長著聲音說。「你回來了。而且曬得這麼黑！」她很高興，一切發自肺腑之言。

我把旅行袋擺在門口，跟拉拉握手打招呼。

「上禮拜房子裡很髒。你開派對啦？」她想知道。

我認爲，如果問我「假期過得怎麼樣」還差不多。我必須先振作起精神。遇見拉拉，完全出乎我意料之外。

「上禮拜嗎？呃……想起來了，我從酒館帶了幾個朋友回來，我們喝了些酒，所以……呃……我沒有把垃圾清理乾淨……妳爲什麼想知道？」

拉拉猶豫了半晌。很明顯，她向我提出這樣的問題，自己也感到不好意思。她以一種克羅埃西亞式的矯捷身手，將蒸餾水倒進熨斗內，滋滋聲頓時響起。

「西蒙……我問你是因爲，我發現你的雙人床另外半邊頭一次被睡過。你曉得嗎？」

我曉得。「黑色追緝令的德航空姐兔女郎」睡了我的床。隔日清早，她早餐也沒吃就帶著宿醉飛往洛杉磯了。

「平常……你雖然要求我鋪整個雙人床，可是都只有一側被睡過！」拉拉仍不死心地咕噥著我的不幸。很明顯，拉拉監視著我！誰叫我這兩年來都要她整理兩個床墊，因爲我內心抱著愚蠢的希望，期待有一天性感女歌手克莉絲汀站在我家門口，跪著懇求我留她過夜。

到目前爲止，拉拉從來不曾干涉我的私事。對此她總是很留心。她連我的櫥櫃都不曾打開過，因爲她害怕裡面擺著她不該看到的東西。也因此，我對拉拉突如其來的監控感到驚訝不已。

「是你女朋友把床弄亂的嗎？」她眨著眼睛問。唉呀！拉拉該不會對我有意思吧？我的「空姐行動」或許讓她醋勁大發，傷了她的心，使她的感情深受創傷！

「不是啦，是……一個女性朋友，妳知道嗎？就是普通朋友。妳爲什麼這麼有興趣知道？」

拉拉顯得如釋重負。「也就是說你目前沒有女朋友囉？」

「沒有？」我回答著。可是我故意把聲調往上揚，聽起來像是反問。拉拉笑著，因為她放了一百二十個心，所以又在我最心愛的棕黃色襯衫上，噴了比平常還多的燙衣精。

「我這樣問，是因為有個不錯的女人很適合你。我也替她打掃房子。」

謝天謝地！我剛剛還以為她愛上我了。並非我對紅髮而且四十來歲的克羅埃西亞女人有偏見，可是我自己才二十九歲啊！我接著問：

「是什麼樣子呢？」

拉拉把熨斗擱到一旁，將我最心愛的襯衫掛在衣架上。

「很明亮，一房一廳，非常漂亮的木板地，很大的陽台，面向陽光……」

「我是指那個女人！」

「喔……那個女人也很好！」

她說的也只有這麼一丁點。談話結束。因為拉拉的手機發出尖銳的來電鈴聲。時機來得正巧。西蒙，你要把握住。等她講完電話，就有更多有關約會的訊息等著你。可惜後來希望落空，因為我的手機也響了。當我對著菲爾吹牛，說我在俱樂部裡分別和四個不同的女人上了床時，拉拉已經收拾好她的東西離去。我在單身沙發上坐了下來，點燃一根香菸，然後轉開電視。

過了平靜無趣的一週後，我在拉拉買了廚房紙巾筒的發票旁，發現一張拍立得照片，好像是在某個無聊的派對上拍的。照片上一群笑盈盈、穿著上班族套裝的女人，看起來像古板的打字秘書似的，正喝著 Prosecco 香檳氣泡酒。在一個棕髮女子的上方，有一個用原子筆畫的箭頭。箭頭上同樣以原子筆寫著：朵特！

朵特？這是一個狗屎名字，還是一個貓屎名字？朵……特！我覺得聽起來簡直就像抹在有機麵包上的醬料，令人噁心想吐。也就是氣餒的職業學校教師，在受石綿汙染的教室裡，對著滿臉青春痘、感到窮極無聊的青少年教數學二項式定理之前，會在自己的營養小麥香蕉麵包上塗抹的那種醬料。朵特！這種狗屎名字讓我抓狂！

約會已經被我取消了。朵特！

☠ ☠ ☠

親愛的，冰箱裡還有朵特抹醬嗎？

就在不含乳糖的牛奶後面啊！

可是我只看見一包叫微波可的東西……

這個愚蠢的名字把我弄得心神不寧，以致於我根本就沒看清楚朵特的長相：除了已經提過的棕色長髮，她穿著規規矩矩的黑色襯衫和牛仔褲，長得甚至很漂亮。我估計她的年齡將近三十。臉蛋甜美，卻微微皺著眉頭，似乎有很多煩惱，或許煩惱著臉上有皺紋吧。至於她家裡是否有拉拉提起的大陽台，我無法從她的襯衫看出來。不過，顯而易見的是，朵特旁邊的女子確實比她冶豔多了。說不定拉拉也幫她打掃家裡！可惜那個指著朵特的箭頭，就是百分之百、不偏不倚地指著朵特一人，別無他人。這時，我才發現拉拉還留下了一張字條。

西蒙，朵特看了你的照片也很喜歡，所以想和你見個面。你要不要打電話？0168-9809476。拉拉。P.S.：我買了廚房紙巾筒，發票在桌上。

拉拉是全世界最愛用廚房紙巾筒的人。我推測全球廚房紙巾的消耗量，拉拉一人就囊括了整整百分之五十。倘若科隆發生百年洪水浩劫怎麼辦？派拉拉帶一整個貨櫃的「擦就乾」廚房紙巾前往災地，五分鐘後保證整個舊城區乾爽無比！

等一等……朵特喜歡我的哪一張照片？我並沒有給拉拉任何照片。我像狗魚似的躍起，奔向走道上的磁鐵留言版。我在西班牙馬尤卡島上的照片不翼而飛了！那張照片上的我站在火腿街上，喝了十瓶啤酒之後爛醉如泥的德行，連我的紅粉知交寶拉都認爲，我看起來反而有點幸福。如果因爲我意識不清而想不起被拍照的那一刻，那麼寶拉所言甚至不假。只要是我意識清醒的時刻，我從來不曾快樂過。我用手指掏著另一根香菸，然後又坐回我的單人沙

發。我真的該和朵特約會嗎？我的清潔婦幫我撮合的對象？這有多可憐啊……？不過……如果一拍即合，倒也是蠻酷的……

爸爸，你怎麼認識媽媽的呢？

我的清潔婦介紹給我的！

你笨到沒辦法自己找一個嗎？

沒錯。你現在去給我做功課！

我找出我的手機，按了下列簡訊給朵特：

拉拉說，我們必須立刻結婚。我可以在婚前先和妳聊聊嗎？

接著按下傳送鍵，這些字就送出了。我覺得我的簡訊很風趣。我倒想看看她有沒有幽默感。若從朵特的上班族套裝研判，她應該是幽默感的絕緣體。她可能是那種自認爲有創造力的人，只因爲她會在 Excel 報表上添加彩色的一欄。約她見面眞是瘋狂的點子！我察覺到，這整個「朵特事件」把我的神智搞得亂七八糟，以致於我根本無法安心過個無聊的下午。害我空歡喜一場，以爲可以瞎混我應得的休假時數，因爲我今天在 T 點銷售站上班時，演出了一場精采絕倫的「偏頭痛記」，就連我的女主管也差點要開車送我回家。然而這張愚蠢的

照片，已經把我的整個偷懶計畫搞砸了。我現在所經歷的，竟是絕對不可發生在男人身上的事，不管當事人是十八歲還是一百零四歲：我在等一個女人的手機簡訊！照理說，她早就必須給我回音了！那些喝 Prosecco 香檳氣泡酒、打 Excel 報表的女人，總是二十四小時開著手機！難道不是這樣？我在家裡面走來走去，清理洗碗機內的碗盤，然後放進一個骯髒的咖啡杯。接著倒入鹽和亮潔劑。我的手機早就應該響了！幾分鐘過後，我拿著微纖維抹布擦掉音響上的灰塵，當我驚覺多此一舉時，我知道自己必須展開行動了。於是我把抹布丟進垃圾袋，然後尋覓著我的健身中心課程表。在沾著起司殘渣的兩個披薩紙盒之間，有一疊我丟棄的廢紙，我發現課程表就夾雜在其中。由於我高估自己的病兆又發作了，所以我決定半小時後去上「入門階梯有氧課」，說不定我想練出肌肉的目標就更接近了。

我的諾基亞手機發出嗶嗶聲。

「喔喔，」我說著。我的「事業女強人理論」果然正確。是朵特的簡訊。

打電話給我！朵。

我愣住了。喂？有沒有毛病啊？請問這是電視色情廣告裡，對男人鞭打施虐的女霸王作風嗎？她發神經啦？她以為她是誰啊？打電話給我！她發布指令，我就得照著做嗎？於是我又傳了「是妳打電話給我才對」的簡訊過去，然後帶著我的體育用品，開著我的黃色寶獅，向我的粉紅色男同志健身中心奔馳而去。

5 沒有脖子的金剛芭比男同志

不，我不是同性戀，而且也不會變成同性戀。我只不過是在簽合約時粗心大意罷了。況且這座健身俱樂部的外觀實在很棒，內部裝潢也是美侖美奐。數星期過後我才恍然大悟，爲何這裡的布置品味高尚。起先是芝麻小事引起我的注意，例如一張免費課程的通告：「特別爲克里斯多夫大街同性戀遊行日開設的搖旗課。」另外，放著我的健身計畫表的抽屜裡，有人塞了一張小字條，上面寫著：「嘿，你這個性感翹臀熟男……」我沒有繼續往下讀。沖澡時，其他人當然都注目著我，想知道我是不是性感翹臀熟男。我當然只想立刻衝出這個男同志樂園。但是健身俱樂部負責人沙夏向我保證，不論我是同性戀還是異性戀，都不影響我的俱樂部會員身分，而且會員證至少還有二十三個月的有效期，除非我搬往慕尼黑。對我而言，遷居至慕尼黑比待在男同志健身中心還糟，所以我選擇留下來。

報到時發生了一點意見紛歧的情況，因爲置物櫃鑰匙是透過電子感應起作用，所以鑰匙上面並沒有印著號碼。也就是說，我可以隨意挑選一個置物櫃，然後記住櫃子的編號即可。

這當然令我很不情願。一般而言，我覺得「陰謀論」很無聊，可是我現在反而無法確定，是不是有人故意用這種方式和我作對。

「你就挑一個個位數字是零的號碼，比較不容易忘記！」工作人員尤阿金向我提出建議。我覺得他臉上化了妝。

「我的問題並不在於忘記號碼，我的問題在於忘不了！」我告訴他。「就像ＩＫＥＡ的貨架編號30Ｃ，已經過了兩個禮拜，我還是記得一清二楚！」

「噢，這種東西，我根本就不會記得！」尤阿金一邊嗤嗤地笑，一邊傻裡傻氣地把手遮在嘴前，好似剛剛聽完超冷笑話的日本中學女生。接著他遞給我一把電子感應鑰匙。我差一點就跳過櫃檯，把這個娘娘腔阿姨浸在無聊的維他命奶昔裡。反之，我深呼吸了幾次，然後拿起鑰匙往更衣室的方向走去。我把我的手機放入編號１１２的置物櫃裡，因爲１１２不是毫無意義的號碼，而是緊急呼救或者火警電話號碼，反正是兩者其中之一。我把我的便鞋也擺進置物櫃裡，接著把鑰匙放入左腳鞋內，把手機放入右腳鞋內。一直到現在，朵特仍未回覆我的簡訊。就在我旁邊，有一個看起來很吃力又粗壯的圓頭傢伙，留著超級短的頭髮，穿著印有比特鬥牛犬的無袖上衣，露出手臂肌肉。因爲他沒有脖子，而且長得像大力水手卜派，所以我稱他爲卜派，又稱他爲沒有脖子的金剛芭比男同志。據說——曾經有人告訴我，卜派這輩子無法再講電話了，因爲舉重鍛鍊讓他的上臂肌肉縮得過短，因此無法拿著聽筒靠

近耳朵。假如我有他的手機號碼，我就打過去測試一下是眞是假。話說回來，搞不好根本沒有人會打電話給他，因爲他的長相實在不得人緣。

「你的毛巾很漂亮！」他對著我點點頭。

「謝謝！」我冷笑了一下，然後正眼也沒瞧地補充道：「你的櫃子很棒！」

因爲我沒挨揍，可見他認爲我的話很好笑。

正當我穿上那件古老的綠色運動褲時，我的鞋子發出嗶嗶聲。我從鞋子裡掏出手機，讀著螢幕上的字：

星期四晚上七點四十五分，在盧森堡街的史圖斯根超市，冷凍櫃旁。到時見！

拉拉替我撮合的約會對象朵特，簡直無可救藥。爲什麼我應該在超市和她見面？我從來沒見過這個女人，她就已經自行決定一切？行不通！

「壞消息嗎？」

一個年輕的肌肉男，置物櫃號碼五號，顯然察覺了我看著手機螢幕時專注的眼神。

「我……我和我約會的對象鬧口角！」我告訴他。他很善解人意，「幾乎」完全懂得我的苦衷，因爲他帶著安慰的口吻以及尖細的聲音回答我：

「又是男人惹的禍！！！！」

我帶著全新的史奴比毛巾，踢踢嗒嗒拖著腳步走向教室。這條史奴比毛巾是我的反抗行

動工具，表示「你們眼睛放大，我不是同性戀，所以別過來打擾我做運動」。在此之前，我有一條小花象班傑明毛巾。不過，自從有一回某人在我背後喊著：「好性感的象鼻！」我便只有在慢跑時才會帶這條毛巾。我特別欣賞史奴比的地方，就是牠眞的沒有半點男同志的味道。教室裡仍然空無一人，爲了愼重起見，我又看了一下課程表。星期四，晚上六點，入門階梯有氧。現在是六點零五分。

「嗨，我是海蓮娜！」

一個古巴革命英雄格瓦拉以及德國女同志藝人荷拉．封辛能的混合體，瞅著我笑。至少她身上那一套類似軍裝的衣服，暗示著她長年累月參加游擊戰。她沒有上妝，帶著濕漉漉的頭髮。可能是剛才降落在豬圈的緣故。

「嗨，我是西蒙！」

「幸會。第一次上階梯有氧嗎？」

「是啊。我覺得我總得開始學才是……」

「超可惜的，這麼少人來！」

「嗯……可能因爲教練是異性戀者，所以大家興趣缺缺！」我猜測著。

「這個我早就知道了！」

「怎麼說？」

「因為我就是女教練啊！」

我看見前方有兩個亮著燈的緊急出口標示。如果承蒙幸運之神眷顧，我便可以躲開格瓦拉，然後像武打片演員羅禮士一樣飛簷走壁逃到街上。我放在置物櫃裡的東西，當然只能暫時丟著不管，但是對我而言仍舊值得……

「妳如果只為了我一個人教這堂課，未免太沒有意思了！」我企圖用計擺脫，因為我沒有興致單獨和格瓦拉與封辛能的混合體做階梯有氧。

「沒關係。反正我已經來了。啊，對了……呃……如果我是你，我不會這麼大方的帶著史奴比毛巾到處走！」

我感應到某種不祥的預兆。

「史奴比有什麼問題？」

「如果你喜歡狗狗式，一點問題也沒有！」

「什麼狗狗式？」

「從後面上。」

「噢……」

我檢視著毛巾，一時之間，我覺得史奴比的微笑顯得非常曖昧。然而，就在我繼續思考之前，室內已經響起了我專屬的階梯有氧音樂。有如笨拙的美國海軍，我踏著行軍步伐朝鏡

子的方向邁進。

「右邊、右邊、前進、前進……，」這是我接獲的指令。不知何時，就在極其複雜的舞步組合以及健身中心負責人沙夏擔憂的眼神之間，我領悟到自己已有數星期不曾運動，而且我的脈搏數一定在兩百左右。「一切還好嗎，西蒙？」我還可以聽見我的女教練喊著。接下來，我的知覺逐漸模糊，彷彿沒有解碼器的收費電視台畫面。

「腳抬高……你必須幫他把腳抬高！」從某處傳來某人的聲音。然後確實也有人過來把我的腳抬高。然後所有的人都非常擔心。然後他們很好心的用棉布把音響喇叭筒蓋住，以免我隨著音樂過度興奮。然後我眼前出現黑白畫面。然後我便不省人事了。

無論如何，幾分鐘後我又恢復了知覺。幸虧那個沒有脖子的金剛芭比男同志卜派打開了所有的窗戶，而且他還握著我的手。我驚嚇地把手縮回。

「他醒來了！」我的男同志救命恩人帶著尖細的聲音說。他高興萬分的模樣，彷彿剛才贏了樂透裡的粉紅色 Smart 迷你敞篷車。

「謝謝！」我一邊喘息著，一邊吃力地坐起身子。格瓦拉與封辛能的混合體，正皺著眉頭面對我。「在我們繼續做階梯有氧之前，或許你應該先以長途散步的方式訓練體力……」

「這是全世界最好的建議，」我含糊不清地咕噥著，「我覺得散步太棒了！」我啜了一小口塑膠杯裡的水，然後踢踢嗒嗒拖著腳步回到更衣室。或許我眞的應該多多散步！當我打開

112號櫃和我的手機時，螢幕上顯示的簡訊，重重擊了我一拳，力道有如一部載著超重骨董家具的羅馬尼亞卡車。

我將你的沉默解釋爲同意。很高興。務必準時。待會見。朵。

待會見？有夠衰。這就是我的清潔婦所撮合的約會對象！星期四，不就是今天嗎！

「有誰知道幾點了？」我緊張的尖聲呼叫。氣死人！我的聲音聽起來那麼尖銳，簡直就像跳芭蕾舞的男同志。

「七點整！」一個身體有穿環的希臘胖子，尖聲尖氣地回答。他正擺著金雞獨立的姿勢，爲了套上一件可笑的皮製丁字褲。七點整！我還有整整四十五分鐘的時間去超市赴約。眞慘！而且我還得先沖個澡。但是我寧可回家淋浴，這裡實在太危險了——儘管沐浴乳瓶就置於胸前的高度，不需要彎腰。

6 史達林專制學校

將近一小時之後，我站在超市裡，目光流連在冷凍櫃食品上。「歐特可博士」的冷凍披薩現在也附加了烘烤紙！假如烤箱沒有熱風烘焙功能，便須事先預熱至兩百二十度。我覺得這眞了不起。兩百二十度。我一直以爲只有太陽上才有這種高溫。管他什麼太陽不太陽的，事實就是我已經在冷凍櫃前足足站了十分鐘，依然等著拉拉替我撮合的朵特。她家有熱風烘焙功能的烤箱嗎？如果沒有，乾脆把整個公寓放到太陽上當烤箱好了。我剛剛沖了澡，準時赴了約，還穿上我的方格紋襯衫，可是我的約會對象仍然不見人影。噢！「伊格魯船長」有新產品！是莫札瑞拉乳酪紅蘿蔔烤餅，取名爲「魔激尼小餅」。我覺得聽起來不討喜。喔喔！是誰有些跌跌撞撞、匆匆忙忙地穿過超市的自動玻璃門，抓起最後一個骯髒的塑膠購物籃？儘管這一次她的頭上沒有原子筆畫的箭頭，我一眼就認出她了。

「朵特！」

我把稍微退冰的「魔激尼小餅」放回冷凍櫃內，然後向她揮手。她急促地往其他方向看

了幾眼之後，才認出了我，於是一邊如划槳似的搖擺著手臂，一邊帶著惶惑的眼神趕緊走向我。

「我們還有整整五分鐘的時間！」她瞅了一眼，以商務人士的態度按著我的肩膀，彷彿我剛才向她買了一部特別棒的二手車似的。接著她便繼續往前跑。已經很明顯的是：這個女人在端莊的儀容底下，有顆不正常的腦袋。

「嗨，我是西蒙，很高興見到妳！」我在她背後呼喊。她果真轉了身，然後搖著頭向我走來。

「噢，老天，很抱歉……我剛從商務會議趕過來……我是朵特！」她剛從商務會議趕過來！各位看官請來瞧瞧。她剛剛可能必須解雇四十個員工，現在才稍微良心不安，以一秒鐘的時間致哀。莫名其妙地，我就是想知道我們到底在這裡幹嘛。

「朵特，今晚有什麼打算？」

「喔……對，我想我們就買點東西下廚。」

下廚？她瘋了？我已經兩年沒煮過菜了！彷彿這個建議還不夠令人毛骨悚然似的，她竟然還提出一個問題。

「你有什麼好點子嗎？」

有。我有。我的點子如下：就是我指著她背後某處大喊「那裡！」，然後利用對方尚未

回神的這一秒逃亡。之後，我要把她和拉拉的電話號碼從我的手機刪除，重新找一個清潔婦，而且躲到古巴當棒球教練，直到一切化險爲夷再回來。

想歸想，我還是回答了：「我很喜歡烤『老饕魚排』，譬如加了菠菜的那一種。」沒有逃亡所受的懲罰，就是她把我從冷凍櫃拉開。

「『老饕魚排』？這種大學生簡餐，根本就不是下廚。」她對我發著牢騷。

恭喜啊！她已經跳級到史達林專制學校畢業班了。「下廚？我們到底要在哪裡煮菜？」我斗膽問道。

「可是我住在科隆的多伊茲區呢！」這是她的回答。

「去我那裡也不行！」我回答的速度，比「科隆第一足球隊」被對手踢進球門所需的時間還短。

「你不是就住在這附近嗎？」

「妳怎麼知道？」

「拉拉告訴我了！」

空前絕後啊！拉拉大概也逮到了機會，早就把我的銀行存摺傳眞給朵特了。

「爲什麼我們不能去你那裡下廚？」

就在不知不覺中，我竟然被她推向擺著義大利麵條的貨架。無論如何，突然間我就站在

義大利麵條前面。

「因為……呃……」

若不是一小時之前，我在健身俱樂部已經昏厥過一次，我現在鐵定就在義大利麵條前暈倒了。針對朵特的問題，答案怎麼沒有印在義大利廠牌百利亞麵條的包裝袋背面？西蒙，省省吧！是禍，你就躲不過。「家裡亂七八糟」的說詞太可笑了，而「我家裡根本沒有廚房」的藉口，只出現在廣告中。

「喔，到我那裡嗎？」我裝出現在才恍然大悟的樣子。「啊，當然可以！」

「棒極了！那就沒問題了！啊……還有這包，我們煮好吃的義大利麵，怎麼樣？」

她大概還覺得，把我逼到牆角很好玩。為什麼我不把我的感受直說出來？

「嘿……朵特，我何不把我的感受直接告訴妳？」

「怎麼了？你有什麼感受？」

「我……呃，為什麼我們不乾脆上餐館？」

我相信，我甚至可以從她的臉上取下一塊「無法理解」的表情。

「今天又不是週末！」

這個女人的腦袋裡，肯定裝著一套迥然不同的作業系統。對，所有的女人都不例外，但是我和朵特之間的落差，有如微軟 Windows XP 專業版和八〇年代第一代個人電腦

Commodore 64的程式語言。

「不要，不要，我們煮好吃的義大利麵。要用什麼材料煮醬汁？」

「我……或許用番茄？」我結結巴巴地說。

「我番茄！你珍！」她故意模仿珍教泰山講英文的方式，說出這種無聊的蠢話，隨後還發出咯咯的刺耳笑聲。

唉，親愛的老天爺啊！這顯然就是歇斯底里的笑聲，而且這種笑聲，是好萊塢電影劇本作家專門爲某些女人所設計：只共用了一頓晚餐之後，男主角就不想再和她們來往。我稱這種笑聲爲「好萊塢的落湯雞叫聲」，簡稱「好萊塢雞叫」。我認爲這是一種應受正視的疾病，源自於性生活太貧乏以及壓力過重。

「好吧……你覺得鮮奶油調鮭魚如何？」她問我。

「也不錯！」我有如靈魂出竅似地回答。

「那麼你去拿鮭魚，我去拿鮮奶油。你家裡一定有葡萄酒吧？」她還說著，人就已經急急忙忙往奶製品方向去了。

我家裡有葡萄酒。數量很多。可是我一口都不給妳這個歇斯底里的蠢女人喝！因爲我都是一邊獨自喝酒，一邊觀賞VIVA音樂台的勁歌熱舞影片。妳知道爲什麼嗎？因爲音樂影片裡，有許多比妳美上好幾倍、不會咯咯亂笑的女人跳著熱舞，而且如果幸運的話，我還可

以見到她們扭著騷莎舞翹臀！

「鮮奶油在這裡！」

狗屎！我眞的應該逃之夭夭才對！現在我簡直像個白痴站在這裡，任憑一個神經錯亂的女經理呼來喚去，彷彿是瑞典兒童故事《金髮小淘氣》裡遭受不當對待的艾米。唯一的差別是，我這裡可沒有把艾米關起來的小倉庫，所以我也無法和他一樣在裡面雕刻有用的東西，譬如雕出一把點四五麥格農手槍。這件衰事之所以發生在我身上，只因爲我要求清潔婦鋪整兩邊床墊，然後來了兩個德國漢莎航空的空姐，她們爛醉如泥而無法搭車回家。這種不舒服卻完全正確的因果關係，逼著我現在去買鮭魚和廉價葡萄酒。十分鐘後，我們已經在我的住所內。

☠ ☠ ☠

正當朵特在我的廚房裡不斷發布命令時，我卻思考著和朵特上床的情景將會如何。

「你在水裡加了油和鹽嗎？」

「加了！」

「很好。因爲如果不加，就甭吃了。煮義大利麵條需要油，你知道嗎？」

假如她在床上和在廚房一樣製造這種恐慌，那麼無論如何將以失敗收場。

你勃起了嗎？

勃起了！

很好。因爲如果沒有勃起，就甭做了。做愛需要勃起，你知道嗎？

當然，如果她眞的想和我上床才有可能發生這種事。或許她只想和人聊聊她的工作而已。

「盛義大利麵條的盤子必須先加熱！」

「爲什麼？」我問。「我以爲我們吃的是麵條，不是盤子……」

我的玩笑話，又惹來幾乎永無止盡的落湯雞咯咯尖笑。當她終於安靜下來時，她帶著因緊張而抽搐的眼睛告訴我加熱盤子的眞正原因。她一邊解釋，一邊把兩個盤子放入加溫至一百度的烤箱內。

「冷盤子是義大利麵條最大的敵人，你知道嗎？」

沒錯。而咯咯亂笑的落湯雞，是男人在床上施展雄風最大的敵人！對了，等一等。當我在客廳裡把五根蠟燭中的三根吹熄時，腦海突然浮現一計。我之所以把蠟燭吹熄，只是因爲

這個工作壓力過大的女強人必定承受不起如此強烈的浪漫氣息而暈眩倒地。我暗自想，或許現在撤退逃離還不遲。或許我仍有辦法把她嚇走。

「妳讓我情不自禁想起我媽！」我朝著正在下廚的她大聲說，期待著她收拾東西離去。爲了保險起見，我又追加了一句：「我媽是我一生最重要的人！」

「對啦對啦……男人有時候都這樣說！」她大聲回答，緊接著又是一陣無法自拔的咯咯尖笑。爲了懲罰她，我又吹熄一根蠟燭，轉開屋內最亮的燈。我眞想抽一根大麻煙。可是菲爾顯然替他的毒品找到了匿藏的新窩，在我的沙發底下一點影子也沒有。我突然想逃離自己的家。可是萬一這隻商務界母雞發起瘋來，把我新買的美麗沙發啄破怎麼辦？上中學的時候，有一次我在老師考問我題目之前便假裝流鼻血開溜，這一招很有用。可是現在呢？朵特把煮麵條的鍋子和葡萄酒端上了桌子。

「嘿……你點了一根蠟燭，眞是浪漫！」

她整個人顯得比先前放鬆。當我仔細端詳葡萄酒瓶時，我便曉得原因了。葡萄酒只剩一半。

「我在醬汁裡摻了一些葡萄酒調味！」

「理所當然！」而我呢，也用「哈瓦那俱樂部」朗姆酒澆花。

當我們終於開始用餐時，她鉅細靡遺地述說著上禮拜她對哪個下屬狠狠痛批一頓。從朵

特口中我得知，她曾為倫敦的設計博物館工作了半年，而且十分引以為豪。

「還有設計師菲利普．史塔克。我在八月時曾和他一起吃飯！」她一邊向我透露，一邊只替她自己倒酒，忘了我的存在。就在她把酒瓶放回桌上時，我刻意誇張地從她手裡拿走酒瓶，然後把我的酒杯倒到即將溢出來為止。

「菲利普．史塔克？」

「是法國的明星設計師！你不可能沒聽過！」

「抱歉，我就是沒聽過！」

不過，有件事已經昭然若揭。如果她上個禮拜和菲利普用餐過，想必這個善良的男人現在正遭遇慘重的創作危機。

「你到底在做什麼？」她問我。

「妳是指職業嗎？」

「對……」

現在正是我好好思考的時刻。如果我對她說，我在電信公司T點銷售站裡，鼓吹九十歲的守寡老阿嬤簽下寬頻無線上網的合約，她搞不好還覺得很酷。因此我準備向她鬼扯，好讓她最遲在吃完甜點之後，要我叫計程車送她回家。

「我是……呃……我是無業遊民，而且積了一屁股債！」

我迫不及待地等著朵特的反應。在驚嚇一秒鐘後，她爆發出咯咯尖笑，以落湯母雞的刻度尺衡量，強度直達七點八級。

「你眞的是好風趣！我喜歡。眞的！」

最後，當我努力讓她相信我眞的失業時，在放著預熱餐盤的桌上，氣氛變得有些寧靜。

「抱歉，我眞的以為……你看起來根本不像失業的人，你知道嗎？」

請問失業的人長什麼樣子？難道我應該穿著惡臭的衣服，滿嘴牢騷，脖子上套著一條繩子，站在超市的「隔夜餅乾櫃檯」迎接她嗎？

「你現在有什麼打算？有機會找到工作嗎？」

「我……或許會自行創業，做……某一種……」

用力思考，西蒙！用力思考，選一個沒有用的廢話！

「……屋簷水溝的清潔服務！要再幫妳倒一點酒嗎？」

這眞的是白痴廢話。

「噢……謝謝……暫時不用！」

我們一言不發。我一邊聳著肩膀，一邊沒胃口地用叉子捅著我的麵條。最後，她劃破了沉默：

「你知道嗎？」

是啊，我知道。我知道，如果親愛的老天爺希望我繼續上教堂找祂，祂將很快幫我把今晚畫上休止符。儘管如此，我仍想聽聽朵特要說什麼我還不知道的事。

「我們今晚就為你打造個人創業計畫！」

「呃……我們要做啥？」

「企畫一套專屬你個人的事業方案！也就是你如何經營你的屋簷水溝清潔公司！」

「我又沒有公司！」

「你自己就是一人公司！」

啊，救命啊！她可不是說著玩的。介於今晚約會眞正的目的——也就是上床嘿咻，以及為一個完全不存在的幽靈公司打造經營計畫之間，我實在無法想像其中有什麼差異。我感覺自己逐漸火冒三丈了起來。我氣自己、氣朵特、氣她在我家裡把我當人質的事實。

「可是我今晚並不想進行商務計畫！」

「我們一起設計啊！」

「我就是偏偏不要啊！」

「等我們做了之後，你就會很高興！」

她這句話其實應該換我說才對。用完晚餐，等我們在床上做了之後，妳就會很高興！不管我有天大的本事，這個女人掌控了我。從第一個變態的簡訊開始，我便逃不出她的魔掌，

我便已經任宰任割。不過我還知道一件事！就是我們必須離開我的住所，而且刻不容緩。很不幸的是，她偏偏提議去星巴克。於是我提出去「亮光酒吧」的反議。她也立刻同意了。我們決定去那裡喝點東西。她真的該慶幸我是這麼容易變通的人。

我們坐在圓形的復古吧台上，周圍有晶光閃爍的圓柱，酒吧內播放著騷莎舞音樂。朵特穿著沙河床色的上班族套裝，樣式老氣過時，已不符合當前的E時代。我穿著我最心愛的棕黃色襯衫。在我們左邊，一些興奮的大學生嘰哩呱啦地談論著某些教授以及即將面臨的考試。我的商務伴侶朵特，正孜孜不倦地把一些無聊的狗屎打進她的灰色筆記型電腦，好像吸了安非他命的啄木鳥。我自問有多少女人會帶著筆記型電腦去約會，我猜是百分之零點一。我正喝著第四瓶大麥啤酒。喝了三瓶之後，我已經束手就擒，乖乖在酒吧裡製作商務計畫。我認識這個女人還不到三個小時，她就已經奪走我內心的最後一絲自尊，塞進她那只愚蠢的MCM名牌手提袋。我望著調酒師手上的蘇格蘭純麥威士忌。

「你的辦公室所需成本多少？」聲音從我右邊響起。

「屋簷水溝的清潔服務不需要辦公室！」

「好，零成本！」

「沒錯！」

這是奇蹟。這個女人能在短短數秒鐘內，把任何我所說的東西弄成一個數字。到底我還要幫她點多少白葡萄酒，她才會連同愚蠢的 Excel 表格從高腳凳上摔下來，滾向沙發區的角落？

「你每個星期可以清理多少屋簷水溝，大概估計一下？」

「一千個！」

「若包含房租以及各種保險費，你每個月需要多少生活費？」

「半歐元！」

朵特把「半歐元」打進F那一欄，然後啜了一口葡萄酒。調酒師身上穿著七〇年代的衣服，是個情緒過佳的二十來歲男子。他一邊擦著酒杯，一邊給我安慰的微笑。

「商務方案！」我把手臂彎成弧形解釋著。

「不可或缺！」他事不關己地肯定著，然後把擦得發亮的玻璃杯擺進櫃子。接著，我的救命恩人進入了酒吧。這個救命恩人身材高大，而且沒有脖子。假如是發生在昨天，我一定用預先排練過的跳躍動作縱身跳到吧台後方。現在我卻一把抱住他。

「卜派！！！」

普派見到我也很歡喜。他身上又穿著一件德國鬥牛犬T恤，不過這次是白底黑字。

「嘿！史奴比，你已經恢復健康啦！」

我不僅恢復了健康，而且還神采奕奕。我有如完美的主人招待賓客似的，把一張高腳凳拉到我旁邊，好讓卜派坐下來，接著又替他點了一杯大麥啤酒。我向朵特說明卜派今天救了我一命，把我的雙腳抬高，還有我們是在男同志健身俱樂部裡認識的，而且他比我強壯多了，這一切都令我心儀。我還告訴她，俱樂部裡有暗語，史奴比代表我喜歡從後面上的癖好。

當朵特關掉Windows XP專業版，闔上她的筆記型電腦時，她幾乎顯得有些難過。我寫給她商務計畫所需的電子郵件地址如下：金剛芭比男同志@德國同志網。這一招應該能讓她永遠不再和我聯繫。如果我回到家時尚未醉到神智不清，我或許會眞的上網設定這個地址。我的清潔婦幫我撮合的約會對象，一言不發地收下我遞給她的啤酒瓶蓋。那上面寫著我亂編的電子郵件地址。然後她便帶著MCM名牌手提袋以及灰色的商務外套離去，這次並沒有發出咯咯尖笑。如果她沒有巧遇設計師菲利普·史塔克，那麼她將搭乘最後一班地下鐵，而且在車站就打電話給她最要好的朋友。她會在電話中問到自己做錯了什麼事。假如她的好友沒有豆腐腦，她就會這樣回答：「每一件事！」

7 紅色貓頭鷹恐怖組織

「你把照相手機連同一年合約賣給了一個八歲小女孩？」

我並沒有羞愧地低頭看地板，好讓我的女主管感到欣慰。反之，我透過辦公室百葉窗的葉片，注視街上一些穿著沒品味的路人如何躲著突如其來的陣雨。對面的美國咖啡店裡，那個星巴克小妞正為一個禿頭胖子打著奶泡。或許菲爾說得對，我應該修正自己對星巴克的態度。如果我不把自己沒曬到太陽的白屁股，從T點銷售服務站挪到這家星巴克內，我就沒辦法認識我的夢中情人。道理就是這麼簡單。我當然也可以在玻璃窗上寫：「妳願意嫁給我嗎？」可是寫反字體很難。

結婚。嗯，這也是不錯的事。世上應該會有一些女人，彷彿天生就是結婚的最佳人選。我一眼便看出，星巴克小妞就是其中之一。她是十足的美人胚子，世上的天生尤物。她的絕色，讓人從遠處便能感覺。她全身上下完美無瑕：烏黑亮麗的及肩秀髮，如杏仁般淺棕色的細緻臉蛋，飽滿豐厚的雙唇，讓人驚豔不已的身材。假如電影《古墓奇兵》的女主角蘿拉

站在星巴克小妞旁邊，鐵定會因嫉妒而痛哭流涕到全身抽搐，索性一頭撞向披薩專送車。然而，最聳動的卻是星巴克小妞蠱惑的「寢室眼神」。這種眼神，能在短短數秒之內把你的胃綁得死緊，猶如巴伐利亞式烤肉捲。這種眼神，可以把你牢牢釘在行人徒步區的冰涼地板上，而且你願意花上一百萬歐元的代價，只爲了讓她在你的臉頰上親一個吻。這種眼神就是如此。而且這種讓人欲仙欲死的眼神，影響所及實在非比尋常，因爲有一回，我們的目光透過了玻璃而相互交接，結果我的胃顫抖無力，整天都無法進食。現在我望進咖啡店內向她微笑，可是我的目力所及範圍，在今天顯然縮小了，因爲這個打奶泡的絕代美女，尙未察覺我的目光便開始服務下一位客人。噢，是的，她確實値得我把她從這個狗屎店救出來，然後開著我的黃色寶獅帶她去加勒比海。我將在那裡租一幢房子，儘管有時差問題，也要在當天下午就和她一起做人，製造一對雙胞胎。爲了我們的孩子著想，住家附近當然不只建有國際幼兒園，還有盛名遠播的中小學。

我必須和她攀談。如果一個女人能讓男人在一百公尺的距離之外便脾胃發癢，那麼男人非得向這個女人搭訕不可。自然界之所以如此安排，可不是胡鬧著玩的。自然界並沒有幽默感，這點從不斷發生的土石崩坍和雷陣雨便可看出。

「我正在和你說話，西蒙！」

對了，我的女主管也缺乏幽默感，換句話說，她是潑辣凶悍而且患了妄想症的虎姑婆，

專門針對我找碴罷了。年齡三十出頭，性冷感，有躁鬱症傾向，所以沒有男人能夠和她交往半年以上實在不足爲奇。而且極有可能的是，她離這輩子最後一次的排卵期，整整還有三天又四小時四十五分。啪啦！最後一次製造後代的機會就這樣過了。眞倒楣啊！我可以幸災樂禍地笑到肚皮撐破。我的女主管天生長相並不醜。她甚至可能有迷人的時候。只不過，她似乎每天早上都花了將近半個鐘頭的時間來醜化自己的形象。比方說，如果她的稻草頭髮上能夠少抹幾百升的髮蠟，她至少會好看一些，也不至於像主持名嘴莎賓娜的髮型一樣，彷彿坐了一星期雲霄飛車似的。最好笑的是她的眼鏡，又大又圓，以黑色塑膠材質製成，戴起來就像一隻貓頭鷹。

「呼呼呼，」貓頭鷹叫著，「啪嗒啪嗒，」她的筆敲著。

「西蒙，正經一點好不好！」

即使她用那支廉價的電信公司原子筆敲著桌子，我也不會快一點應答。星巴克小妞仍舊打著奶泡。我們的小孩肯定很出色，這一點我有信心。我的意思是，親愛的老天爺又不是男同性戀，也就因爲如此，星巴克小妞傾國傾城的美色，將有大半融合到我倆共同的基因庫。

「西蒙，我也可以讓你很難堪。這件丟臉的醜事被總公司知道之前，我先找你約談，已經是我特別寬待了！」

哦哦哦……感激涕零！我還沒把這隻母貓頭鷹釘在「一九九九年女經理」的證書旁邊，

已經是我特別寬待了！

「西蒙？你到底有沒有在聽我說話？」

「有……啊……！」

「你最近怎麼搞的？」

我最近怎麼搞的？她問我，我最近怎麼搞的？她眞是不知好歹。

「我可以走了嗎？」

「不行！」

啊，有這種事！恭喜！歡迎來到她的一流權力遊戲。西蒙・佩特斯不准離去！西蒙・佩特斯，置身於紅色貓頭鷹恐怖組織的暴力威脅之下！紙板上標示著「第三百八十七天」。

「在小女孩的父母來這裡申訴之前，我希望你修正這份合約，把照相手機收回。而且就在今天完成！你究竟怎麼想的？姑且不論這份合約根本無效，因爲八歲小孩不具有簽合約的能力。和八歲小孩根本無法訂立年約。在西非的廷巴克圖或許可以，但是在德國不行！」

「她就偏偏要這隻手機啊！」

「廢話，她當然想要！我的天啊！」

「喲，妳滾一邊去別惹我……」

「什麼？」

「沒事！」

「西蒙，你現在就別再刁難我了。我畢竟是你的主管。難道我就不能要求你嗎？」

這個國家喪失公權力了。這個紅色貓頭鷹恐怖組織隨心所欲進行恐怖攻擊。一會兒投置數位用戶迴路炸彈，一會兒扔出整體服務數位網路爆裂物。警察總是遲了一秒鐘才出現。

砰！紅色貓頭鷹恐怖組織公布坦承作案的自白書。接著把寬頻無線區域網路外加兩MEGA頻寬的費率，又強售給一對口角流涎的退休老夫妻，他們來自鳥不生蛋的伯特羅普市。

「西蒙？」

「是！」

「西蒙，對於如何處理這件事，你有沒有什麼想法？」

「有，我會取出她父母的內臟，把照片放在網路上，拍賣給有戀屍癖的人！」

「你最近實在讓我毛骨悚然！」

棒極了。我接過那份手機合約，向搖頭嘆氣的貓頭鷹點頭示意，然後踢踢嗒嗒地拖著腳步下樓，進入我們的員工休息室。休息室非常小，牆上貼著曾經是白色的米色壁紙，桌上放著機齡十年的平民牌Severin煮咖啡器，以及一架斷了天線的收音機。室內陳設著一個沾滿汙垢的IKEA「比利」櫃子，一個同樣骯髒的小廚灶，一大張塑膠桌子，五把藤椅，其中兩把已經壞了，因為我的同事弗里克愈來愈肥的緣故。總而言之，這間休息室和企圖以高科

技改變世界的大型企業公司完全不相稱。光是這個原因，我就想辭職不幹了。離開這裡，做我自己的事業，證明我自己很有一套。難道有人曾經聽過，在德國電信T點銷售服務站上班的銷售員，擁有一棟位於加勒比海的高級別墅嗎？沒聽過嗎？這就對了！

西蒙．佩特斯以前曾在德國電信的T點銷售服務站上班？眞的嗎？？是那個和有淫欲狂的超級名模住在英屬維京群島的百萬富翁？

就是他沒錯！我以前就一直認爲，他當銷售員的日子不會很久。

假如我做不到，豈不可笑！不過，我現在仍舊站在這個下三濫的電話銷售服務站，在沒有海洋的都市裡。而且我已經年近三十，屬於福斯高爾夫汽車世代，缺乏車況檢驗與維修。是誰在半途故障了？除了德國汽車道路救援協會之外，還有沒有事業救援協會，把困在淺灘而不得志的人，導向下一個階段呢？我必須離開這裡，另起爐灶，我的心意已定。此外，保持神智清醒也是不錯的點子。因爲我懶得洗杯子，所以我乾脆把咖啡倒進上星期五就用過、但是尚未清洗的杯子裡。結果我發現連咖啡也是上星期五泡的。我感到噁心，把咖啡吐到水槽內。

我的直覺告訴我，今天我運氣很背。我思索著該用什麼東西洩憤。我在一瞬間便決定拿

一把藤椅出氣。我一邊咆哮狂吼，一邊把藤椅踢向暖氣爐設備。也因此，現在還剩下兩把完整的椅子。發洩情緒之後，我立刻感到舒暢不已，終於可以抽今天的第一根菸了。

「嘿，西蒙！一切還好吧？剛剛聽到霹靂啪啦的聲響！」

肥仔弗里克正站在門口，他穿著平價百貨公司C&A的彩色打褶褲，頭上戴著一頂愚蠢的藍色棒球帽。他的條紋襯衫有一大半塞進褲子裡，只有前面部分露在褲子外，原因在於他的凸肚很壯觀。就在我裝著新的咖啡濾紙時，弗里克把熱水壺加滿，準備泡沒骨氣男人才喝的香草綠茶。

「你非得在這裡抽菸不可嗎？」他小心翼翼地問我。

「對，非得不可。因爲我是癮君子，而且我們不在美國！」

「你老是講一些扯上老美的話！」

雖然是煮五杯咖啡，我把十湯匙的咖啡倒進濾紙，因爲半醒半睡的精神狀態也很愚蠢。

「你曉得嗎？如果你在紐約的公共場所內保有菸灰缸，將被罰鍰處分！稱作菸灰缸違規。」

我按下煮咖啡器的啓動鍵，於是開關上便露出了一個紅點。現在又是我坐下來的時刻。

弗里克懷疑地望著我。

「眞的嗎？」

「眞的！」

「即使是這樣……你可不可以捻熄你的香菸？一大早就聞到這種味道，我眞的感到噁心反胃。」

「如果窗戶開著兩秒鐘，你也覺得反胃。啤酒溫度低於二十度，或者麵條口味太辣，你也覺得反胃！」

「我就是必須注意我的腸胃啊！」

「你必須注意你的肥肚！」

這個年事已高的煮咖啡器，開始呼嚕呼嚕地從鈣化結垢的管子中滴出液體。弗里克眞的是泰然自若。換成是我，我早就會爲這句話賞對方一巴掌。

「你怎麼心情這麼差？剛才被貓頭鷹訓話嗎？」

「沒錯。因爲一份手機合約被罵。」弗里克在那把被我摔壞的椅子上坐了下來，椅背朝向前方，靠著長度較短的桌邊。就在他的重量落在椅上時，椅子發出喀嚓一聲，當下立即斷裂肢解。

「恭喜你，卡爾蒙特先生！」我發笑著說。

「狗屎。我眞的太胖了！」

「我早就告訴你了！」

「你這個豬頭！」

弗里克面紅耳赤地將椅子擺到牆邊，和其他壞掉的幾張堆在一起，然後在最後一把完整無缺的藤椅上坐了下來。我這樣欺負弗里克，有時候自己會感到內疚，畢竟他是我的朋友。我眞的很喜歡他，極有可能因爲他是唯一能夠容忍我的人，而且不管我搞了什麼天大的狗屎名堂出來。有時候我甚至覺得，弗里克也喜歡我。我也曉得爲什麼：因爲他自己很想變成像我這樣的人——也就是既善於交際應酬，又會耍酷。他那副過於和善的態度，而且身上穿著平價百貨公司C&A一九七八年冬季清倉拍賣的衣服，再加上青蛙臉般的憨笑，他實在不像女人崇拜的對象。他應該先去買幾件像樣的衣服，剪個新髮型，而且減肥十公斤，看起來鐵定不再像無可救藥的狗屎，而只是狗屎而已。好吧，減肥十五公斤應該更好。不過，弗里克讓我最受不了的地方，就是他的慣性悲觀心態。各位請和我一起致敬：弗里克，杞人憂天協會董事會主席。如果高速公路上的塞車狀況解除，終於又可以踩油門狂飆時，弗里克不會說：「太爽了，我們已經遠離塞車路段了！」他會說：「噢……希望待會別又碰上大塞車！」難怪他連一個女人也分不到。另一個原因，當然是他的衣服上老是沾了一些汙點。正當我搜尋著他身上衣服的「今日汙點」時，他盯著那份手機合約。看到客戶個人資料欄時，他的臉上掠過一絲奸笑。

「一九九六年七月十五日？你把照相手機賣給一個七歲小女孩？」

「八歲啦！」

「景仰景仰！接下來怎麼辦？」

「貓頭鷹說，我今天就得去找她父母處理這件事！」

「呃……好丟臉！」

「你的水煮開了！」

「啊……！」

弗里克吃力地從籐椅上站起來，如臨深淵、如履薄冰地把熱水倒進他的粉紅色電信公司茶杯。

「這只不過是滾燙的開水，不是放射性化學元素！」我嘆著氣說。

「是啊是啊！」他的反應精簡扼要。弗里克的沉著穩靜，簡直讓我抓狂。我自問，他到底哪根筋不正常。

「你的『清潔婦幽會』後來發展如何？」

「現在沒有人用幽會這個詞了，弗里克！」

「好吧……那就說見面好了！」

「對方簡直是性感小野貓！」我撒著謊。「而且……呃……很激情！我根本不曉得你想從我這裡知道什麼。」

「第一次見面的晚上，你就……呃……？真是好功力！」

「好功力？這種話也沒有人說了。」

「我的意思是好酷！結果呢？適合長久交往嗎？」

「我覺得兩個鐘頭內做了三次，已經夠久了！」

這是個變態的謊言世界，但至少是我的變態謊言世界。畢竟我和弗里克同樣崇拜我自己的謊言。

「你的週末呢？」我問。

「嘿。我也辦到了！很棒對不對？」

「什麼？辦到了什麼？」

我早有預感。從今天早上開始，氣氛便不同以往。譬如說，弗里克那一副去他媽的氣定神閒，讓人受不了。此外，他的衣服上竟然沒有汙點。

「喔，就是丹耶拉。我們……呃……反正我終於追到她了！」

弗里克手裡拿著茶包，神情充滿期待地望著我。照理來說，我應該替他感到高興才對。反之，我的世界觀頓時支離破碎，慘不忍睹，好像得了帕金森氏症而抖亂成一片的米卡多竹籤。

「丹耶拉？誰是丹耶拉？」

「假如你當時跟我一起去上西班牙語課，你也會認識她。」

「我眞的很想參加，可是那天晚上我就是沒興致！」我說。

讓野獸單獨出門一次，竟然就讓牠拐到美女！我無法理解，爲何偏偏是肥仔弗里克比我快把到馬子。況且我認爲，這個肥仔弗里克根本不配有性生活。更何況，如果連我都沒有性生活，他更別妄想。肥仔弗里克的角色，就是陪我坐在酒吧裡，而且永遠當個肥仔。肥仔弗里克之所以存在，是爲了讓我感覺好過一些，沒有肥仔弗里克的陪襯，我的人生會更悽慘。

「你爲什麼不喝你的茶？」

「因爲還很燙嘴，我怕燙到！」

我感到怒火攻心。

「當然。還有呢？這個丹耶拉長得好看嗎？」

「呃……她並不醜！」

竟然還有這等事。去死吧！

「不是隨便玩玩的，可能有發展。」弗里克自動補充，而且還露出一種意味深遠的表情，彷彿他正在簽署德國電信公司和美國通用汽車公司的合併計畫。

「廢話，你體重一百公斤，還和女人上床，當然不是隨便玩玩的！你會把她壓扁！」

「你眞的讓人噁心，你曉得嗎？我根本不懂，爲什麼我偏偏要帶你去看夏爾克隊的足球

賽！」

這時，全德國最大的兩座教堂塔鐘開始噹噹作響。我懶得看一眼，因爲我幾乎就置身在塔鐘之下。想起來了！足球賽！我之前就覺得自己好像忘了什麼事。我試著繼續擺出一副很酷的樣子。

「啊！弗里克！沒錯，就是足球賽。我當然知道。再跟我說一遍什麼時候開打？」

弗里克一言不發，從他的袋子裡掏出一件夏爾克足球隊球衣，然後往我身上扔。這是他用以委婉表示「今天啦，你這個混帳！」的作風。

8 奧地利守門員虛克古魯伯

弗里克朋友的朋友，在「夏爾克04足球隊」的新聞發布中心工作。我反而希望他在那裡沒有認識的人，那麼我們的球賽門票就只是下面體育場的站票了。然而我現在卻穿著一件沒洗的夏爾克隊球衣，和某些重要工作人員一同坐在贊助廠商貴賓席的餐桌旁，也就是體育場上方的玻璃包廂內，而且一邊傻呼呼地微笑，一邊努力剝除蝦子的尾巴。再次感謝你給我的超值驚喜啊，弗里克！至少也應該事先跟我說一聲，那麼我絕對會穿西裝參加，可是我卻穿著球迷衣呆坐在這裡，像是德國魯爾區挖褐煤的最低階工人。更不用提我既不是夏爾克隊的球迷，也對足球沒有概念。哈！蝦尾去掉了。

「賓果！」我一邊喊著，一邊自豪地向其他沉悶乏味的人展示我的蝦子。但我的成果卻受到這些傲慢無理的傢伙漠視，甚至連弗里克也責備我。

「西蒙！拜託一點好不好！」

「知道了啦！」

我這下就收斂了，因爲弗里克是天底下最死忠的夏爾克隊球迷，而且今晚坐在贊助廠商的貴賓席，對他而言似乎眞的意義非凡。正當球員在大吹大擂的擴音器聲中入場時，我想像著一百公斤重的弗里克，如何吃力地壓在丹耶拉身上。砰！壓扁了！這怎麼可能讓她喜歡呢？

「好噁喔！」

「蝦子不新鮮嗎？」弗里克探詢著。

「沒有啦，我只不過剛剛想到一件事而已！」

觀衆向每一位踏上草皮的球員吹口哨報以噓聲，我才漸漸明白，出場的或許不是夏爾克隊，而是敵手。

後來，當球場發言人唸著某些球員的名字時，球迷便故意大聲強調出球員的姓氏，我才眞正確定夏爾克隊出場了。

艾伯……珊德！！！

葛拉特……阿薩莫瓦！！！

西蒙……佩特斯！！！

換成我的名字，聽起來也是這樣。這種喊名字的方式，還眞是奇怪的傳統。管他的，反正我又不是夏爾克足球隊的球迷。那些坐在我周圍的老一輩顯然也不是，因爲他們根本不參

與喊名字遊戲，很可能是因爲他們穿著昂貴的西裝，而且身旁有珠光寶氣的女士陪伴。我迅速抓起第二隻蝦子，以免弗里克搶先吃掉，變得更肥。在一張站桌旁，有兩位打著夏爾克足球隊領帶的先生，正談論著該隊足球協會有意向一名西班牙球員挖角，可是他的價碼過高。西班牙！啪擦，我的思緒又立刻飛到了西班牙語會話課的丹耶拉。弗里克的丹耶拉。我似乎很擔心她是個美女。搞不好就是有這種事！穿著球迷衣、坐在我右邊的弗里克，正呆頭呆腦而且安靜地望著周遭傻笑。他似乎眞的很喜歡這裡。

「再來一杯大麥啤酒嗎，先生？」

一個繫著白色圍裙、拿著托盤的少女對著我們微笑。

「很樂意！」

今晚唯一的慰藉，就是喝個酩酊大醉。我問弗里克，今晚到底是什麼足球賽。只是隨口問問而已。

「你在車上就已經問過了。」

「眞的嗎？」

「眞的！」

「再告訴我一遍吧！」

「歐聯足球圖圖盃決賽。和奧地利帕勳足球隊的第二場對打！」他的回答略帶一絲不耐

煩。現在我曉得爲什麼我之前忘了。這麼複雜的東西，有人記得才怪。

「沒錯沒錯，就是這場決賽！」

我察覺到，肥仔弗里克似乎有些坐立難安。或許他現在終於注意到，我們穿著大前年足球季的褪色球衣，實在和這裡的紅木桌格格不入。

「你沒事吧，弗里克？」

繫著白色圍裙的少女把我的啤酒端到桌上，我暢飲一大口以示感謝。弗里克輕輕移動著頭，向我暗示坐在我左邊那位頭髮稍微銀白的先生。他正和一個比較年輕的女子聊天，而且一邊抽著小雪茄。爲了不干擾這位女士，他把煙圈吐往我們的方向。好！今天讓我發揮道德勇氣的時刻到了，或許還可以彌補我早上出言不遜的行爲。我帶著微笑轉向隔壁的銀髮傢伙。

「很抱歉我必須打斷您的談話……」

可惜這位先生不太理人。弗里克驚慌地搖頭，並且用腳踹我的小腿脛骨。

「西蒙，別這樣！」

可是我的心意不受動搖。只因爲我們穿著荒謬可笑的藍色足球隊球衣，就可以讓人隨便欺侮嗎？

「哈囉？抱歉喔？」這次我的嗓門比先前更大，以致於周遭的人都中斷談話，安靜了下

來。最後，不僅是那個抽小雪茄的傢伙，甚至整個贊助廠商貴賓區的公子哥們都注意到我。

「您是否可以到別處抽菸？」我以堅決的聲音問道。「您吐出的煙直接飄向我們，讓我的朋友身體不適。請好心變通一下！」

桌旁一片寂靜。其實我剛才也可以這樣說：「抱歉打擾您了，可是您好像就是昨天在妓院扒走我的諾基亞手機、而且得了愛滋病的那個同性戀牛郎。」這句話也將在現場引爆同樣的反應。弗里克的青蛙眼，也會比往常更加凸出。最後，這位銀髮先生終於開口劃破了沉默。

「您是……？」

「西蒙．佩特斯。這是我老友。我們兩個有VIP貴賓票。您呢？」

「魯迪．阿紹爾。我希望您喜歡吃這裡的東西！」

接著他便又轉向那位比他年輕的女伴。在桌旁的其他人也繼續談話，可是顯然轉換了話題，因爲我可以聽到一些評語片斷，例如「臉皮厚到不可思議」、「他以爲自己是誰」以及「應該把他轟出去！」一臉蒼白無血色的弗里克起身離席，並且暗示我跟隨他。我們離開桌子尙未兩公尺遠，他的一肚子火便爆發了。

「喂，你到底知不知道那是誰？」

可憐的弗里克已經面紅耳赤。我當然不知道那是誰。

「他已經說了。好像叫阿殺馬或什麼來著的。」

「他是阿紹爾，你這個大白痴！魯迪·阿紹爾。你總不能禁止夏爾克04足球隊的經理在他自己的貴賓座抽菸！」

喔喔！我有轉圜的餘地嗎？總要試試看。

「還不是你自己因爲阿殺馬的煙味，把兩眼瞪得那麼蠢！」

「他叫阿紹爾。你這個混蛋！」

我們繼續吵了整整十分鐘，而且各喝了兩瓶威廷斯 **Veltins** 啤酒。肥仔弗里克必須喝第三瓶才有膽量回到貴賓席。軟腳蝦。當我們偷偷摸摸潛回貴賓席的座位時，足球賽已經開打，那位頭髮銀白的先生也不知去向。我允許自己再喝一瓶由足球隊協會出錢的威廷斯啤酒。根本不必懂足球賽，一看也知道夏爾克隊踢得很爛。穿著足球隊破內衣的弗里克，也只是兩眼茫然地看著，彷彿球場上毫無動靜似的。上半場比賽唯一的高潮，就是奧地利守門員的名字。他姓「虛克古魯伯」，和希特勒的原姓相同。此外，就在上半場結束之前，他還接住了某個叫做阿廷托普的射球。

我以兩瓶威廷斯啤酒來化解無聊的半場休息秀。下半場開打後，甚至連夏爾克隊的足球迷也用噓聲喝倒采。每一次的傳球失誤，都是我再去拿一瓶啤酒的好理由，而且順便纏著弗里克解答有關足球的笨問題，好讓他心情放鬆一些。

「究竟誰是夏爾克隊呼聲最高的球員？」

「艾伯．珊德。或許哈密特．阿廷托普也是。」

「就是上半場結束前沒踢進球門的那個嗎？」

「就是他！」

「唉喲……可見虛克古魯伯才是掌控大局的人！」

「對啦對啦……」

「那個阿廷托普……，如果比較起來……他現在比巴拉克還紅嗎？」

「巴拉克在巴伐利亞隊打球！」

「啊，沒錯，當然！」

無論我怎麼做，弗里克仍舊緊繃著臉，沉默寡言。我對於球場上一直是零比零的成績厭煩透頂，所以我又回到VIP貴賓的玻璃包廂。這時，貴賓室裡已經布置好自助式甜點吧。因爲我的肚子再也裝不下威廷斯啤酒，所以我倒了一杯咖啡，然後從藍白色相間的半足球形蛋糕取出一塊品嚐。這個蛋糕眞是前所未有的可口。我決定不返回我的貴賓座，留在玻璃包廂內看足球賽，好好款待自己一下。由於我的私心作祟，所以我非常滿意自己坐在義大利名牌設計師沙發上，免費把鮮蝦和蛋糕吃到撐腸拄肚，而那些坐在球迷席的平常老百姓卻必須繳上五百歐元，才能買到長期門票。接著我又拿了一塊蛋糕，倒了第二杯咖啡。這塊蛋糕上

有一個用奶油器擠出的數字6，看起來很有趣。這時球賽在裁判吹哨下結束。弗里克失望地在我旁邊坐下。

「結果呢？」我一邊吃得嘖嘖出聲，一邊問他。

「無所謂了，反正他們已打入下一回合的球賽！」

我察覺到弗里克的目光兇惡。我又吃了一口那塊深藍色的蛋糕。不久，那些西裝筆挺的男士以及他們身邊濃妝豔抹的女伴，又朝著貴賓室蜂擁而入，而且向擺著香檳酒的小站桌走去。接下來似乎仍有某種活動，因爲這些高薪階級的男女，以半圓形圍繞著那位重又現身的「銀髮小雪茄先生」阿殺馬。先前和他聊天的年輕女士做了簡短致詞，內容主要是恭賀銀髮先生過六十歲生日。接著她把剩餘的藍色足球蛋糕遞給阿殺馬，上面只有用奶油擠出的數字0。這時，所有的人突然瞪著我以及我手上那塊只剩半個6的蛋糕。幾秒鐘後，我和弗里克順利無阻地離開了貴賓包廂。我猜因爲我們是VIP貴賓的緣故，所以有兩位戴著無線電耳機、身材高壯的保全人員一路「護送」我們，直到我們抵達我的黃色寶獅。當我們從編號P3的停車場往公路方向開去時，他們並沒有向我們揮別。

回程路上，我們一句話也沒說。弗里克很生氣。換句話說，他氣得七竅生煙。當我們經過掛著電信公司粉紅色標誌的科隆電視塔時，我才想起自己還有要事在身。我告訴弗里克，可是他無動於衷。

「你根本無可救藥。現在已經什麼時候了！而且你還醉醺醺！」

「我答應了貓頭鷹，今天就把這件事擺平。『現在這時候』仍然還是『今天』，因爲等一下已經是明天，我就吃不完兜著走。」

很顯然，我並沒有把我的語意明確傳達，因爲在紅燈時，我從牛仔褲裡摸出那張合約，弗里克卻用食指點著他的額頭，表示我腦筋秀斗。

「喂，西蒙，你該不會眞的現在要去找她父母吧？」

「難道是『你』想去嗎？」

弗里克這下子火冒三丈。我不曉得這次又哪裡錯了。

「西蒙！你這麼晚按電鈴，他們會這麼想？你要對他們說什麼？難道說『晚安，我名叫佩特斯，因爲我蓄意不良，所以把一支照相手機賣給你們的七歲女兒，而且外加一年合約』？」

「他們的女兒八歲！而且我賣給她的是兩年合約。」

「你眞的瘋了！」

「我可沒提到按門鈴這回事！」

我眞的必須交一些比較酷的朋友。弗里克根本不行。只因爲我們準備向一個小女孩取回沒有法律效力的合約，他就嚇得屁滾尿流了。

「我不跟你一起狼狽爲奸，西蒙！」

「那麼你就留在車子裡，泡一杯茶，慶祝一下夏爾克足球隊進入下一回合比賽！但是你喝茶之前要稍等一下，否則你會被燙死！」

「變態！」

在科隆林登塔區的獨棟白色豪宅前，我把車子停了下來。我關掉收音機，點燃一根丹麥王子菸，便撥了小女孩烏麗克留在合約上的住家電話號碼——當然是她唸我寫。響了六聲之後，接到了電話答錄機。我等著嗶嗶聲，然後以打飽嗝的方式粗聲粗氣地說：「電信公司。我們爲您服務！」好好笑。弗里克一點反應也沒有。

「沒人在家的機率很大！」我安撫著他。

「那又怎樣……你的意思是？」

「我十分鐘後就回來！」

弗里克從車窗內搖著頭往外看，他奇怪地喘著氣，好似負荷著過重的精神壓力。其實他只不過是閒閒坐著，呆呆旁觀而已。可能對於肥胖的人而言，這已經過度吃力了吧。我下

了車，走向房子的大門。依照合約上所寫的地址，是摩姆森街八十八號。賓果，到了。門鈴上標示著君特公館。我跳過花園的鐵門，躡手躡腳經過一輛小朋友騎的腳踏車以及房子的周邊區域，便到了室外的露天平台。越過一道矮牆之後，我輕而易舉地進入陽台。令我心喜的是，一切易如反掌，因爲陽台門一推便開了。如果我自己擁有這樣一幢豪宅，我鐵定在家裡的每一個老鼠洞加裝安全鎖。我把窗簾稍微拉開，眼前伸手不見五指。於是我向前走進室內，裡面仍然一片漆黑。這是紅色貓頭鷹恐怖組織派給西蒙・佩特斯的秘密任務。然而就是這類小細節，決定著德國電信這種國際性企業的生死。假如所有的員工都像我這般仁至義盡，那麼公司的股價也不會跌到谷底。儘管如此，我已經打定主意，明天早上立刻呈報今晚的加班時數。

我把眼睛盡可能睜大，然後斗膽繼續進入室內。現在我可以辨識出一張兒童床的輪廓。床上沒人。顯然全家都出門了。我摸著床套被單。冷的。或許這對夫妻已經把女兒送進瑞士的寄宿學校了，因爲她捅了婁子，簽了一個狗屎手機合約。家裡空無一人，實在是我下手的好時機。我最怕碰到小女孩抱著泰迪熊，大聲呼叫「媽媽」，因爲一個穿著夏爾克足球隊球衣的醉漢站在她的床前。最好的情況，當然是手機和合約副本直接擺在床頭櫃。我摸著牆壁，找到了電燈開關。喀擦，開了。因爲我並非闖空門的小偷，而是在這裡處理一件必要的芝麻小事，所以我覺得開燈無妨。我望著四周。在漆著亮光紅色、帶著鋁製腳的書桌上方，

掛著一個軟木留言版，上面釘著兩張來自美國佛羅里達州的明信片，以及青少年雜誌《喝采》附贈的一張瑞奇馬汀貼紙。可憐的小女孩！她何時才會得知這個俊男是同性戀呢？我決定做我今天的第二件善事。我在貼紙旁邊寫上：「瑞奇馬汀是屁精！」接著我按了我給小女孩的手機號碼。幾秒鐘後，這支手機果真在房內某處發出了聲響。說得更確切一點，這支手機並未發出聲響，而是發出刺耳的多和絃音樂鈴聲——瑞奇馬汀的流行歌曲。我一邊試著分辨這個吵雜聲的出處，一邊跟著旋律，故意發出彈舌音隨便亂哼，起先輕聲地唱，接著愈來愈大聲。

一、二、三……再一會兒我就找到手機了。

我把電燈關掉，踏進了走道。手機的音樂鈴也愈來愈響亮。

一、二、三……然後我就把它還給貓頭鷹。

月光透過好幾個天窗，灑落在珍貴的木頭地板上。我觸摸到一個開關，便按了下去。有如滿天星斗的鹵素燈，頓時將走道變得金碧輝煌。牆上掛著現代藝術作品。看來君特一家並未受經濟蕭條所苦。我又看到了兩扇門，而瑞奇馬汀的刺耳聲，顯然是從我旁邊的房間傳來。出於好玩的心態，我模仿美國聯邦調查局的情報員破門而入，同時把我的手機充當點四五手槍。

「站住別動，他媽的操你娘，我是警察！」我用英文喊著。我把燈打開，立刻知道自

已顯然到了爹地的書房。辦公用皮製椅，價格高昂的書櫃，還有以最細緻的木材做成的置物架。眞不錯！在一張巨大結實的高級木製書桌上，正擺著我渴求不已的東西：紅色諾基亞手機5140。中標！

此外，還有一個意想不到的禮物從天而降，因爲合約副本就擺在手機下面。可見爹地已經沒收了手機。這個家庭還算正常。我心滿意足地把手機與合約塞進我的褲袋，然後在書桌上放了一歐元。因爲這支有合約在身的手機，就値這麼多錢。

當我回到車上時，已不見弗里克人影。在車座上，我發現了他留下的字條。

你是個腦筋有問題的蠢蛋。我在丹耶拉那裡。弗里克。

9 中杯那堤瑪奇朵世界末日

全科隆市有不計其數的咖啡店，菲爾當然偏偏要挑星巴克和我碰面。我不知道我在那邊是否沉得住氣，因爲我從遠處便看見那個星巴克小妞站在櫃檯後方。她就只是這樣站在那裡光燦奪目，打著乏味的保久乳奶泡，而不是在我們的加勒比海十二房廳別墅裡照顧我們的可愛小孩。我又吸了一口氣，然後離開 T 點銷售服務站，準備克服這段距離星巴克以及菲爾僅二十公尺的路。這個「今晚會有豔遇先生」今天穿著顏色噁心的絨質西裝赴約。他好像以爲這樣還不夠醜似的，竟然還在西裝外套下穿了一件印有零食飲料公司 Ahoj-Brause 字樣的上衣。我臭著臉跟他握手，心不甘情不願地裝出微笑。

「你好啊！約在星巴克這個鬼主意可眞棒！」

「我以爲我是在幫你克服文化障礙啊！」菲爾挖苦我，而且奸笑地指著星巴克商標旁的美國國旗。

「我對你感激不盡！」

「我知道！我們進去吧！」

他一邊說著，一邊落落大方地把菸蒂彈到行人徒步區中央。然後他彬彬有禮地幫我開門，又好心的讓我知道，他想要大杯那堤以及Cajun風味的辣雞三明治。我不曉得這些是什麼東西。我還來不及向菲爾拿錢，他就一溜煙跑掉了，然後坐在酒紅色的單人皮沙發上講電話。必須付錢時，他似乎就是有辦法開溜。

在櫃檯前排隊結帳的人，只有一個不修邊幅的三十歲女子，身上穿著寬大又鮮豔的環保衣物。她慢吞吞的不直接點東西，反而瞪大眼睛，把牆上標示各種咖啡飲品的看板從頭讀到尾。這是讓人打鼾入睡的典型案件，專辦打鼾的警察應該立刻予以懲戒。我稍微望了一下周遭。這家咖啡店擠滿了喋喋不休、搖著一堆娃娃車的年輕媽媽。哈！這歸咎於星巴克死板的禁菸政策！星巴克已經變成所有咖啡店之母啦。這將會付出代價！據我所知，嬰兒並非我國最主要的咖啡消費客層，況且有哪個母親會爲了點第二杯牛奶咖啡，而把自己的新生兒單獨留在兩排義大利名牌沙發之間十五分鐘，任他們嚎啕大哭？我可以確定的是，這家星巴克很快就會倒閉。傾國傾城的星巴克小妞，仍舊站在櫃檯後方。她的手指在收銀機上打著鍵。她身邊沒有娃娃車，而且她近看更美！我幾乎沒有勇氣端詳她。不過我毫無選擇的餘地，因爲馬上就輪到我點東西了。啊！她正往我這邊看過來！是嗎？不是！她的目光直接錯過我而落在街上。我也朝著街上望去，可是那裡沒有一絲動靜。她茫然地望向空無。她正在想什麼

呢？一定不是咖啡。或者就是咖啡？或許她正想著她的白馬王子！這麼嚴苛而不知變通的大企業，准許員工在上班時間想著私事嗎？或者必須先報備才能想私事？我可以想像，就算只是泡一杯那堤瑪奇朵，美國公司管理部也會先以美軍教育班長的作風，將員工徹底洗腦：

「報告班長，假如顧客點東西時考慮比較久，那麼我從玻璃落地窗往外看可以嗎？」

「妳是指茫然望向空無嗎？」

「報告班長，正是。茫然望向空無。報告班長，我腦袋裡要想什麼好呢？」

「微笑！拜託，這還用說！然後假想一杯好喝的中杯那堤瑪奇朵！」

「報告班長，謝謝。報告班長，這是好主意。報告班長，我還要再次感謝你給我這麼優厚的待遇。」

「優良員工在我們這裡就是值一小時三歐元。順便告訴妳，妳的乳房很堅挺。有人跟妳提過嗎？」

「報告班長，沒有，但是多謝！」

剛剛提到的完美乳房上，繃著一件世界上最緊的襯衫。我當然不是眞的盯著她的胸前雙峰，而是掛在這個超級性感地帶的綠色小名牌。瑪西雅·P·嘉西亞。好美的名字！我自問，P是哪一個名字的簡寫。排在我前面的生態保育黃臉婆，終於大功告成點完東西，慢條斯理地走向領取飲料的櫃檯。她瞪著手中的結帳發票，好似看到自己的訃聞一樣。

瑪西雅．P．嘉西亞。我把目光從名牌往上挪，直接望著她那雙綠色的眼眸。我又想迴避，卻無法自拔。我多麼渴望浸潤在這聖潔無比的目光裡，可是我手邊根本沒有浴巾。她微笑著。我的天，她的朱唇！一塊刻著「愛」的七噸重花崗石，直接砸進了我的胃。這種痛楚很快便轉化成一股舒服的暖流，溫柔地將我迷醉，同時又讓我感到神經緊張。這一秒鐘，可能是我生命中最重要的片刻嗎？是否就是這一片刻，將在我們的婚宴上被父母、朋友與同事不斷追問呢？是否就是這一片刻，將讓我和瑪西雅事隔多年之後，在床上嘻嘻哈哈地重新回味，然後像熱戀中的男女纏綿繾綣，接著狂野而激情地享受巫山雲雨之歡？我要問她什麼呢？我當然知道。就是這一片刻！

「您第一次光臨星巴克嗎？需要我爲您解釋嗎？」

我喜歡她的聲調。我想像著，這個聲音將不斷輕喚我的名字，緊緊在我耳邊軟語呢喃，以致於我能感覺到她溫暖的呼吸。我想像著，這個聲音除了對我說：「您第一次光臨星巴克嗎？」還如何說別的話。譬如：「你覺得這棟房子對我們和孩子們夠大嗎？」或者：「這場雷雨讓我好害怕，西蒙，你抱緊我好嗎？」

在這一秒，我多想省略掉約會出遊、摸索猜測、互相認識這整個多餘而費力的過程。我多想直接牽著這個絕世美女的纖纖玉手回家，讓她坐在我的沙發上，我要一直凝望著她，直到我倆雙頰緊貼著睡著爲止。至於聊天，我們可以隔日再說個天南地北。畢竟，我將要和她

長相廝守一輩子。

「哈囉？」

我未來的妻子仍舊看著我微笑，即使她的娃娃臉蛋因爲我的失語症而浮現一絲溫柔的憂慮。我只能猜測自己在這一秒留給她的印象，不過，我想大概就像一隻鹿，被一輛載著黃瓜的卡車以遠光燈照著。

「哈囉！我在星巴克！」我結巴著。我可以立刻打自己一個耳光。廢話，我當然是在星巴克。我正站在結帳櫃檯前，而且只消說出我想點的東西。如果第一眼的印象最重要，而且這個最初的印象就在最初的十秒鐘之內產生，那麼我現在乾脆就用一千張星巴克餐巾紙把自己捲起來，然後丟到萊茵河裡算了。好歹也得說句話，西蒙。任何和咖啡有關的話！

「您有咖啡嗎？」我聽見自己呆頭呆腦地問，好像我正站在隔壁房間某處似的。星巴克當然有咖啡。我在咖啡店裡。我是在咖啡店裡的超級大白痴。

「上方看板印著我們販售的所有咖啡飲品。在您決定好之前，或許我可以先服務您後面那位先生？」

她以「您」尊稱我？難道我看起來像四十歲的人嗎？我很快地轉身，望了一下我後面那雙戴著鏡片的豬眼。原來是一個矮小而且臉頰肥腫的禿頭商人，而且戴著和巴伐利亞邦首長史都伊柏一樣的無框眼鏡。

「不行，先服務我！」我不客氣地要求。

「那麼您必須告訴我，您想要什麼！」我的夢中情人依舊微笑著回答。她說的沒錯。我想問導演：可否請你們把這整個情節倒轉回去兩分鐘，重新再來一遍？拜託現在就重來一遍好嗎？難道我得先用杏仁蜜酒澆灌全身，然後用火點燃，接著像一個巨大無比的火球，尖聲驚叫並從店面玻璃牆爆破而出，飛彈到行人徒步區上。難道這是你們想看到的場景嗎？

顯然這就是。因爲沒有人幫我把這個情節倒轉回去。西蒙，你給我聽著，振作起來！你不是十六歲小孩！而且這個星巴克小妞，也不是你平生所搭訕的第一個美女。

「好的……抱歉……呃……我就點……」

奏效了！

「我就點一杯咖啡……」

「哪一種咖啡？」

「很平常的咖啡！」

「今日精選咖啡嗎？」

「對，就是這個！」

「小杯、中杯還是大杯？」她用英語問我，而且還用美式發音。如果我的脈搏每分鐘狂跳兩百四十下，我怎麼能專心聽得下外國語呢？我覺得自己就像柏林圍牆倒場三分鐘後，初

次光臨麥當勞的東德土包子。

「小杯、中杯還是大杯？」瑪西雅這次用德語助我一臂之力。

「小杯。不，大杯！」

「到底是大是小？」

「那就中杯好嗎？」

「好的！」

令我讚佩不已的是，她臉上仍舊保持著笑容，完全沒有因此而不耐煩。這個事實激勵我的士氣，讓我有信心順利結束點餐。

「還要一杯中杯那堤、一個 Cajun 風味的辣雞三明治。」

除了「Cajun」這個字之外，我都說得正確極了，因爲星巴克小妞把我的西班牙語發音糾正成美式發音。在我往取餐櫃檯走去之前，我突然看見一個裝著「星巴克德國蜂蜜薑餅」的塑膠盒，每一個蜂蜜薑餅都個別包裝在小袋子裡。

「蜂蜜薑餅多少錢？」我問。

「每一個兩歐元。您要一個嗎？」

「不……我只是好奇而已。」我一邊說，一邊付帳，把位子讓給我後面那個有點史都伊柏味道的肥臉商人。我就知道，一個兩歐元！

當我拿著結帳發票，拖著腳步走向取餐櫃檯時，我才恍然大悟，爲何生態保育黃臉婆剛才那麼驚愕。因爲價錢！兩杯咖啡和一個三明治，竟然要八歐元！一堆哭鬧的嬰兒所帶來的營業額損失，他們又從這裡撈了回去。當我領取兩杯咖啡以及菲爾的辣雞三明治時，我的準新娘瑪西雅又送了我第二個微笑。我很想回應，卻錯過了適當的時機，況且若像個飯桶一樣楞楞地看了五秒鐘之後，才忽然回以微笑，則更加愚蠢。於是我乾脆說「嗨！」，而且點頭示意。她又嫣然一笑作爲回報。她對我微笑！又一次！只對我微笑！我以爲她早已把我忘得一乾二淨。這個笑容最重要的特徵就是：那是一種私密的微笑。不是出於美式「對顧客保持微笑」的習慣，而是一種比較精巧細緻的調情眼神，混合了「巴西」與「德國北萊茵威斯特法倫邦」的風格。這種眼神所要傳遞的訊息是：嘿，你這個剛才在櫃檯結帳的人，我不討厭你！沒錯，正是！她不討厭我！這是非常、非常好的開始！

我拿著餐盤經過七台嬰兒車，吃力地往菲爾的桌位走去。他還在講電話。理所當然。在電視界工作就是如此。身爲電視界的怪胎，就必須每個鐘頭至少打一次電話到企畫部，好讓那裡的同事不會忘記菲爾是個大王八蛋。

瑪西雅·P·嘉西亞。究竟有什麼東西、有什麼人，會阻撓我再次走到她面前，向她由衷表明我的心跡呢？菲爾阻撓了我。因爲他講完了電話，正把他昂貴的銀色手機塞進名牌 Hugo Boss 的西裝暗袋裡。

「抱歉，剛才必須打電話和企畫部確認一件事。」

「沒關係。」我一邊說著，一邊在我的普通咖啡裡，灑上裝在粉紅色小紙袋內、一點也不普通的粉狀糖精。

「這裡的德國蜂蜜薑餅，一個賣兩歐元！」我告訴菲爾。

「那又怎樣……？」

「算了，當我沒說！」

我把整包糖精倒入我的咖啡杯，然後用一根細薄的木籤攪拌著。

「站在櫃檯的小妞，是不是你提過的那個？你覺得很正點的就是她嗎？」菲爾想知道。

「不是。」我撒謊，因爲我沒興趣立刻變成猴子被嘲弄。

「我只是問一下而已！」菲爾帶著歉意說，並且把身體往沙發上靠。正當我喝著第一口咖啡時，菲爾從他的西裝內袋掏出一張紙。

「我約你出來的原因……就是……說出來有點難堪，但是我們統統都喝醉了……」

我幾乎每天晚上都喝醉，所以這種暗示沒有效用。我試著偷瞄他拿在手上的紙條。那是一張萬事達信用卡帳單。搞什麼鬼，我和菲爾的信用卡帳單有什麼牽連？

我很快就獲得了指點。

「重點字是『查克·羅禮士』？」

糟糕！是我度假前在購物頻道的消費行動！

「是影視明星啊。怎樣？」

「西蒙，我已經和萬事達以及QVC電視購物公司通過電話了。原來某人非常好心，幫我在凌晨四點買了好幾樣東西。」

我完全不曉得自己該怎麼脫身。

「有什麼不好，你不必親自購物！」

「夠了，你別耍我！」

一比零，他占優勢。我應該提出更有說服力的論點。很慘的是，儘管那天晚上豪飲了大量酒精，在購物台買東西這回事，我仍記得一清二楚。當購物台打著精采的商品廣告時，菲爾正橫臥在小蝸牛空姐身上。即使如此，菲爾必須先提出證據再說！

「抱歉，菲爾，可是你的帳單和我無關。有可能是你把信用卡隨便亂放，或者你曾經在網路上訂購東西，號碼被別人盜用……」

「西蒙，你現在先住嘴一秒鐘可不可以！那天晚上我們和德航空姐在你那裡。大家醉得東倒西歪。沒關係，反正大家玩得超級盡興，笑得很開心，但是我要你還我九百七十八歐元！」菲爾以不同往常的口吻直截了當地說著，然後倒向沙發椅背。

「請問我到底訂購了什麼？」我自知理虧而小聲地問。

「一台遙控直昇機、一台查克．羅禮士的全能健身器，還有一套刀具組。」

「你爲什麼認定就是我買的？」

「因爲QVC電視購物公司的胡帕茲先生告訴我送貨地址，而我知道這個地址。」

「是什麼樣的地址？」

「你家地址！」

「噢！」

最後一線生機：我必須推給黑道新娘卡蒂雅或者她的朋友小蝸牛。

「或許是那兩個空姐搞的，我的意思是說，她們畢竟也沒有賺盡全天下的錢！」

「你省省力氣吧，西蒙，事情很明顯。空姐不會訂購羅禮士的全能健身器！」

「特別虛弱的空姐就有可能！她們必須推著一堆沉重的果汁啊……你有沒有注意過一瓶番茄汁有多重？」

我從菲爾的臉色可以推測，他沒有興致繼續聽我胡說八道，他只想要回他的錢。這一次他又辦到了！他讓我覺得自己像個愚蠢的小學童，爲了買糖果吃，從媽媽的皮夾裡偷拿了二十分錢，卻當場被逮個正著。

「我轉帳給你就是了！」

菲爾在一張黃色便利貼上潦草地寫下他的銀行帳號，於是這個令人不快的話題也就此結

束。之後我必須做的，只不過是讚賞菲爾的兩個電視節目構想而已，然後他就放我回去上班了。回到**T**點銷售服務站之後，我試著把接觸顧客的機會降至最低。一個鐘頭之後，我悄悄溜到樓上的員工休息室，抽了五根香菸，喝了半公升咖啡。

男人必知的事有幾件。這些事非常非常重要。不可把指甲剪刀和牙刷放在同一個漱口杯裡，因爲這會讓女人噁心想吐，立刻呼叫計程車離去。不可告訴女人，她令你想起自己的母親，否則她會立刻呼叫兩部計程車。不可透露過多有關前幾任女友的事。不過，任何十四歲至八十九歲之間的男人必須切記之事莫過於：不要惹上寶拉這個女人！從小學五年級起，我就認識寶拉了。在我的印象中，直到目前爲止，所有與寶拉交往過的男人都是輸家。於是幾年下來，她也變成了不折不扣的感情專家。倒不是她自己的愛情關係很成功。不是。但是假如她願意，擁有穩定的感情根本不是問題！因爲天下沒有寶拉得不到的東西。順便一提，我並不包括在內。這樣也好。我甚至可以說，我自己不曾和寶拉談戀愛簡直是走運。雖然我也覺得她很性感，可是我實在知道太多她的愛情故事。可惜錯不了的是，寶拉盡其所能地玩弄男人。親愛的老天讓她非常容易得逞，因爲她乍看之下猶如一個天眞爛漫、需要呵護的小天

使。我的天啊！如果和她交往的男人知道這一點就好了！假如寶拉和男友已交往超過四個禮拜，而且對方長得夠帥——當然絕大多數都具備這項條件，那麼她就會把這個男友介紹給當年我們這些死黨認識。我們當然對他很客氣，因爲他是寶拉的「新歡」，可是我們其實早就在握手問好的時候，放棄了眞正想認識他的念頭，因爲幾個禮拜以後，寶拉身邊反正會出現新的護花使者。絕大部分的這些可憐蟲，對於結交到像寶拉這樣的美女還非常引以爲傲。我們這些死黨的內心，則比較傾向於同情與憐憫：等著瞧吧，你這個可憐的豬頭。

寶拉不僅知道《如何使男人上鉤》、《男人吃火星，女人吃金星》這類五四三的書籍，針對男女關係的各種問題，她還有一套金科玉律，和大家耳熟能詳的經典戒律迥然不同，譬如「切勿在見面後的第二天打電話聯絡」或者「不可把感情放得太深」。這也就是爲何我現在在員工休息室內，坐在最後一把完整的籐椅上抽著菸、喝著咖啡，而且顫抖著撥打寶拉的電話號碼。響了嘟嘟五聲之後，便接上了留言信箱。我留言之後，便把香菸捻熄，楞楞地瞪著牆壁。我的聲音聽起來一定很絕望，因爲寶拉在兩分鐘之內便回電給我。

「抱歉，剛剛在收銀台前付帳！」電話另一端傳來輕快的聲調，她的心情一如往常，好得不得了。

「你沒事吧，西蒙？」

「沒事才怪！我愛上一個女人了，一切變得亂七八糟！」我嘆著氣。

「你說『你』談戀愛了？我不相信！」

「爲什麼我就不能談戀愛？現在別亂鬧，寶拉，我必須趕緊和妳碰個面，這次是玩眞的！妳一定要幫我忙！」

電話另一端安靜了下來。

「現在不方便，因爲我剛剛才買了一張兩小時消費券，準備去內普敦健康俱樂部洗芬蘭浴。之後，我也已經有約在身了。」

「妳老是有約在身！」我叫罵著。「明天呢？」

「明天我要搭機去慕尼黑。」

「可是我一定得和妳碰個面！如果我見不到妳，今晚我就開始吸古柯鹼！」

「你發瘋啦！整整半年沒接過你的電話，現在你卻要我別去洗芬蘭浴？」

狗屎！我眞的有半年沒和她聯絡了？

「聽著，如果你要見我，就必須到芬蘭浴池來！」

我必須去一趟。在人生的某些時刻裡，行動是唯一的辦法。而且如果我不嘗試去追求瑪西雅，我永遠都無法原諒自己。我把手機收好，抬頭看著時鐘。快四點了。如果我走後門，就可以悄悄從店裡開溜出去。我起身離開座椅，穿上我的夾克，然後走上樓，以便從走道旁的窗戶再望瑪西雅一眼。可是她已經不知去向了。

10 橫濱的泡棉浮條

我憎恨芬蘭浴池有兩項主要原因。第一，我無法理解，何苦和素昧平生的人一絲不掛共處一室，然後一起汗流浹背，之後又和這些素昧平生的人一起沖冷水，叫著：「啊……噢……眞是舒服！」我自己覺得二十度的室溫最舒適，而且在我周圍的人也可能最正常。第二，我知道有許多男人裸體的模樣比我好看。我就透露一下原因何在：我太瘦了。瘦巴巴的手臂，瘦巴巴的腿，而且彷彿還不夠慘似的，我的胸肌就像名模凱特摩斯絕食三個月後的樣子。像我這種身材，並不見得渴望成爲目光焦點的展示品。這種身材喜歡寬大的T恤、厚重的夾克，或者朦朧的燈光。我把自己裹在一件超大的白色浴巾裡，接著鎖上我的置物櫃，心裡很高興不必記住任何號碼。可是我的欣喜之情並未持續太久，因爲我從旁邊的鏡子裡望見了自己。那是一個悲慘的景象。我應該多吃一點，或者多上健身房鍛鍊體魄。最好是兩者雙管齊下。想追求瑪西雅，我不僅需要寶拉傳授給我堅不可摧的調情秘訣，我還需要一副好身材。像瑪西雅這樣的女人，擇偶的條件可能很高。像瑪西雅這樣的女人如果在床上發覺，那

個氣喘吁吁在她身上愛撫的傢伙，簡直和蒼白的瘦腳鶴沒有兩樣，她肯定毫不遲疑地將他掃地出門。瑪西雅這樣的女人，需要一個眞正的男子漢。有肌肉、幽默感與靈性。關於肌肉，我明天會上健身房鍛鍊，至於追求策略，我今天就向寶拉討教。

當我包著浴巾準備尋找寶拉時，我覺得自己赤裸裸而且沒有安全感。原因有二。我確實赤裸裸而且沒有安全感。此外，我正在我所見過規模最大的芬蘭浴俱樂部裡。這裡的內部陳設極爲高雅，牆壁由天然石料構成，沿途經常可見鐵鑄的燭台，而且空氣中飄著一些無聊的花香與檸檬味。我跟著「芬蘭浴區」的指標走，戰戰兢兢地沿著一座大階梯下樓。令我訝異的是，我並不是芬蘭浴俱樂部裡唯一的顧客，因爲還有許多男男女女走來走去，他們不是稍微以浴巾圍裹就是一絲不掛。光是我先看見的那些類型就令我士氣大增，因爲幾乎毫無例外的是：他們統統比我醜多了。

寶拉傳了手機簡訊告訴我，在大休息室裡可以找到她。當然沒有指標引路到這間休息室。於是我跟著一塊寫著「皇帝池，伴有舒緩身心的水底音樂」的標示牌走。在一個小浴池內，有三具沒有知覺反應的水上裸屍，正躺在紅色的蛇形塑膠浮板上。看來，水底音樂舒緩身心的效果，已達到無以復加的境界。出於好奇，我褪去我身上的浴巾，也抓了兩塊泡棉浮條，然後緩緩走下泳梯，進入泳池。池水溫暖宜人。我把塑膠浮板移到我的臀部和頭部下方，然後依樣畫葫蘆地和其他三具水屍一起漂浮。果然！當我的頭輕輕浸入水中時，我聽見

帶有東亞氣息的打坐冥思音樂，我猜可能是坂本龍一的作品。這種稀奇古怪的音樂，聽起來像運作中的工廠機器，但是因爲單調到無法再單調，竟也有放鬆情緒的效用。我在腦海中勾勒出一幅畫面：一個墜入愛河的機器人，在日本橫濱南方某個荒廢的工廠倉庫裡敲著木琴。叮、叮、叮……這個聲響組成了音樂，喀啦、喀啦、喀啦、喀啦、喀……乒！

我不禁脫口說出：「這種狗屁眞的讓人很放鬆啊！」結果被其他浮屍怒罵「太不像話！」而且招來各種兇惡的白眼。我點著頭道歉，接著又把頭浸在溫熱的池水中。墜入愛河的機器人又敲著他的小木琴，鈴鈴又啷啷，叮叮又噹噹，滿心期望隔壁倉庫的心上人能夠察覺他的愛意。慢慢的，我在幾乎不知不覺的情況下，飄離了墜入愛河的機器人與它的木琴聲，接著乘船前往加勒比海。我的腦海浮現出我和瑪西雅手牽手在維京島沙灘上遊晃的情景。海上幾乎風平浪靜。瑪西雅穿著新娘婚紗。我從我那缺乏肌肉的胸膛上方望去，看見我們的孩子在沙灘上招手。浴池的音樂正發出叮叮鈴鈴、窸窸窣窣的聲音，機器人加倍努力地爲我彈奏水底音樂原聲帶，而我聽見了瑪西雅溫柔的聲音。她對我說，我是她在這世界上的最愛，而且她以前從未想過會遇上我這麼棒的男人。我在她的耳邊輕聲低語，說著我也很愛她。就在這時，一隻巨無霸墨魚撞上了我。這隻墨魚又醜又肥，還把我的泡棉浮條從屁股下方拉開。接著他以德國東部薩克森邦的口音說：「你撞到我了！」我沒有撞任何人，因爲一年以來我頭一遭感到情緒放鬆。這下子我眞的火大了。

「是你撞到我耶，因爲你沒注意自己這一身肥肉往哪裡晃！」這隻肥魚情緒十分激動，還用他的泡棉浮條恐嚇我，說他沒有必要忍受我和我的浴巾。我實在搞不懂，因爲我根本就沒有圍著浴巾。當他面紅耳赤地拖著一身肥肉以及泡棉浮條離開浴池時，我對他舉起中指。因爲我仍然怒氣沖沖，所以我在他背後喊著：「去向東德秘密警察打小報告啊！」然而他就只會憤怒地說一個字：「你……！」他的辯才不過爾爾。

這個傢伙眞是大白痴。我現在想放鬆心情也不可能了。於是我離開「坂本龍一的機器人倉庫紀念浴池」，把自己裹在浴巾裡，開始尋覓寶拉。我在角落轉彎之後，到了一個寬敞的區域，那裡設有許多芬蘭浴蒸氣室，中央還有一個微長形的游泳池。我以目光搜尋四周，卻不見寶拉的身影。我怎麼認得出她呢？我又沒看過她裸體的樣子。一個胸膛有鬈毛、上半身肌肉雄壯的拉丁美洲猛男，正走進游泳池內。在他兩腿中間卻搖晃著一個僅僅五公分長的大笑話。但是我確信，他還不曾對此哈哈大笑過。

我巡視著不同的芬蘭浴蒸氣室，探頭探腦地察看寶拉是否在裡面，可是仍舊沒有她的蹤影。這時我想起來，寶拉要我到休息室找她。我向一位穿著藍色Polo衫的員工詢問休息室在哪裡。我們一起經過寫著「請保持肅靜。」的標示牌，便進入一間散發薰燭香味的暖房。裡面果眞很安靜。高雅的木製躺椅上，有一些穿著浴袍的芬蘭浴訪客正在閉目養神，另有一些則在看書。在休息室的最前端，我發現了穿著粉色浴袍的寶拉。我興奮地走向她，並且在她

旁邊的空躺椅躺了下來。

「寶拉，老友！」我高興地打招呼。

「噓！」至少有十個芬蘭浴訪客對我發出噓聲。

在這裡和寶拉碰面，還眞是棒到不行的點子。我迫切需要來自女性的建議，卻在世界上唯一不准說話的地方討教。

倘若有兩個歷經世界大戰的老兵，五十多年後在這間休息室裡首度重逢，那該怎麼辦？而且萬一他們倆都以爲對方早就在蘇俄的俘虜營中死去？

海因茲，我以爲你死了！

噓！！！

沒有，我在一九四七年時逃跑了！

噓！！！

這些愚蠢的「肅靜休息室」應該全部轟炸掉。當然要小聲轟炸才行。

「嗨，西蒙！」寶拉低聲說，向我眨眼示意，並把女性雜誌擱到一邊。

「妳已經躺在這裡很久了嗎？」我也小聲回應。

「差不多半小時。一起去芬蘭浴好不好？」

只要是我們可以說話的地方，我都去。我向她點點頭。還不到三分鐘，我們就已經坐在九十度的芬蘭浴烤廂內，把粗鹽往身上塗抹，彷彿我們是手工拉糅扭結的蝴蝶烤餅。令我高興萬分的是，只有我們倆單獨在這間烤箱裡。從烤廂的窗戶望出，可看到芬蘭浴區寬敞的內部以及游泳池。面對裸體的寶拉，我沒有辦法迴避不看。她的身材讓我驚豔。或許我以前應該追求她才對。烤廂內的高溫令人難以忍受。眞不知窗台上的兩個小圓蠟燭產生了多少溫度。我內心暗自盤算著，寶拉馬上就會打開天窗說亮話。

「嗯，你陷入熱戀了，開始說吧！」

「我沒有陷入熱戀，我只是找到了我想娶的女人！」

「眞不賴！」

就在我把汗滴從我的「蝴蝶烤餅大腿」拭去時，我開始向寶拉陳述。寶拉想知道我的意中人瑪西雅是什麼樣的女孩，還有陷入熱戀的我對她認識有多深。我說我對瑪西雅一見鍾情，我根本不認識她。我當然還告訴寶拉，我和瑪西雅在星巴克第一次接觸的過程，以及我可能已經在她面前出了洋相的情形。

「天曉得，說不定她反而覺得你很可愛！」寶拉鼓勵我。有可能。

「不論如何，你必須先認識她！」她繼續說。

「萬萬不可！我還沒準備好！」我毫不猶豫地回答。

「什麼意思？還沒準備好？」

「我……呃……我怕會搞砸！而且……反正我就是還沒準備好！」

「太扯了吧！你不妨先約她出來見面。放輕鬆一點，又不是叫你馬上和她結婚！」

如果寶拉曉得這正是問題癥結就好了。在九十度的高溫下，應該避免情緒激動，但是我沒辦法冷靜下來。如果過了醉生夢死的十年之後，忽然開始思考人生最重要的東西，怎麼可能不激動！

「你以前是怎麼追到你那些前任女友？」寶拉想知道。

「我沒有花任何心思，一切都是水到渠成。我以前只想和女人上床，並不想定下來。」

「結果呢？你和她們上床了嗎？」

「那還用說！每晚精疲力竭。」

「西蒙，拜託一點！」

「偶爾啦……其實並不是很常！這樣說吧，一年一次。」我拉低聲音地承認。寶拉的回答「嗯」並沒有多少敬佩的意味。

「寶拉！我想要的不過是強而有效的『寶拉絕招』。妳知道，就像以前我們一起計畫

過，要怎麼讓那個牙醫女助理布蕾塔吃醋。結果甚至很成功，妳還記得嗎？」

「布蕾塔？我的天啊！那是我們高中都還沒畢業之前的事耶！」

「有什麼關係！妳就告訴我吧！給我一個建議。」

「好，西蒙。我的建議便是：你先冷靜下來。因爲你現在完全喪失了理智。把結婚這回事忘記，先去認識你的瑪西雅！」

「那麼眞正的『寶拉絕招』呢？」

「一模一樣，佩特斯先生！我現在要去沖冷水澡。你要一起去嗎？」

「馬上！」我一邊說，一邊瞪著已經流光的計時沙漏。寶拉把她的浴巾圍在臀部，打開烤箱的木門，便走向外面的公共區域。她眞是幫了我天大的忙啊！什麼叫做我完全喪失了理智？什麼要我耐心等待而且冷靜下來？只有我自己覺得應該冷靜時，我才會冷靜！

我抓起我的浴巾，準備去找寶拉算帳。就在我幾乎到了門邊時，我又回頭坐下來。我爬到最上面，把自己藏在火爐後方最酷熱的角落裡。溫度計上顯示著九十二度。這麼熱是應該的！我不踏出這裡一步！我一邊顫抖著，一邊把膝蓋緊緊靠著胸部。我無法理解我從窗戶望見的景象。我無法置信，是誰一絲不掛地直接站在我的烤廂門前聊天。

是瑪西雅。

瑪西雅·P·嘉西亞。

她在這裡做什麼？她怎麼可以這樣對待我？現在？就在我根本還沒準備好的時候出現？我還需要一點時間自我準備，這點難道還不夠清楚嗎？不要現在！走開吧，美女。回去店裡打奶泡！只要一會兒就好。妳走開好嗎？好讓我能到妳身邊！瑪西雅，不要現在！我還沒有她心目中理想的外型、還沒有她喜歡的體魄、還沒有自信心。或許明天，或者一個禮拜之後時機才成熟，可是拜託拜託拜託不要現在！不要在我最虛弱的時刻，不要在我不熟悉的地方，更別這樣裸裎相見。不要在我的紅粉知己對我開出「喪失理智」的證明書之後。不要在我照了兩次鏡子才認出自己之後。

我覺得身體不適。不舒服而且躁熱。兩者可以同時併發嗎？肯定可以。我尋找著能夠離開這間烤廂的其他出口，以免直接撞見瑪西雅。可是沒有任何其他的出口。我再一次謹慎地從窗戶往外看。她仍舊站在那裡。她的美麗簡直不可思議，是完美無瑕，道道地地的性感女神。我眞想將她占爲己有，進而供奉崇拜。我甚至會爲她獻上祭品！獻上許多東西，小杯、中杯和大杯。我現在又發燙了起來，可是已經不再流汗了。某種東西在我的太陽穴上抽動著。我在這裡面多久了？半小時？更久？我不曉得。或許我這種引發轟動的殉身法，可以說服瑪西雅嫁給我。電視新聞便常常報導，可見這一招多麼奏效。火爐旁邊有一個裝著勺子和液體的桶子。我必須想著皇帝池裡舒緩身心的音樂，喀啦、喀啦、喀啦、喀……乒……說也奇怪，我竟然想到健身俱樂部的卜派，那個沒有脖子的金剛芭比男同志。我們攜著手、乘

著船，在加勒比海上飄盪。他的婚紗非常、非常美麗！我拿起桶子，把液體頓時在火爐上飛濺而且冒煙。我的清潔婦拉拉應該過來看一下，怎麼用她的廚房紙巾把這裡擦乾！我的眼前一片漆黑，而且我覺得無所謂。有什麼好看的？我的腦海裡敲奏著叮叮鈴鈴的音樂，我跳進一杯裝著冰水的星巴克紙杯。我叫著「啊……」還有「噢……」，然後說這眞是很棒的方法，因爲有人發明了先熱後冷的步驟。夏爾克足球隊的球迷抑揚頓挫地喊著：「這可以磨練出男子漢，我的朋友，這可以磨練出男子漢，我的朋友，這可以磨練出男子漢，我的朋友，這可以磨練出男子漢！」我擁抱著機器人，以答謝它敲擊悅耳的叮鈴噹啷情歌，告訴它這眞是個好點子，可是我現在必須告辭，基於其他的私人義務，我必須離開橫濱，因爲我將依照德國習俗準時完成婚禮，而且妻子是世界上最美麗的女人，瑪西雅……

瑪西雅。

瑪西雅．P．嘉西亞。

瑪西雅．佩特斯．嘉西亞。

瑪西雅．佩特斯已經撐不住了．嘉西亞。

瑪西雅．佩特斯已經撐不住了，假如我們結了婚，我一定是個好丈夫．嘉西亞。

那隻薩克森邦墨魚推開了烤廂的門，叫著：「你……！」然後我便被憂心的藍色 Polo 衫員工抬出烤廂，接著抬入一間沒有木頭的房間。

半個小時之後，我圍著我的史奴比浴巾，和寶拉坐在芬蘭浴池區的餐廳，喝光我的第四杯蘋果西打。芬蘭浴池管理部擔心的已經不是我的健康狀況了，反而是我的形象。因此有一位臉上穿刺許多金屬環的女服務生問了我兩次，是否想付五歐元租一件浴袍。當她粗暴無禮地問我第三遍時，我跟她打了個商量，假如她先把臉上那一堆破銅爛鐵鋸掉，我就穿上浴袍。因爲對於芬蘭浴池的訪客而言，她臉上的廢鐵也不雅觀。不久之後，換了一位男服務生端來我的第五杯蘋果西打，沒有鐵皮，只有一張臭臉。在芬蘭浴池區的餐廳裡，我和寶拉坐在最後面的角落，因爲我仍然很害怕會忽然撞見瑪西雅。我實在很想知道，當藍色Polo杉員工將我抬出蒸氣室時，她是否看見了我。由於我全身發顫，所以仍有辦法從寶拉的香菸盒裡搖晃出一支菸。我一直以爲洗芬蘭浴有助舒緩身心。當寶拉幫我點菸時，就連她的目光也有緊張不安的傾向。

「你到底是怎麼搞的，西蒙？」她想知道。

「假如布萊德彼特一絲不掛地站在烤廂前面，妳會怎麼做？」

「跟他約會！」

「太棒了！我談戀愛了，而妳唯一想到的就只是落井下石！」

「你不是在談戀愛，你是神經不正常！」

「謝謝！」

「我相信你需要好好休息一段時間！」

我才不相信！

「寶拉，到目前爲止，我的整個人生都處於糜爛的休息狀態。電信公司的T點銷售服務站，還有我過去的情史，一切根本是休息狀態！我需要一個女人幫我按下啓動鍵，讓我的人生繼續運轉，而不是靜止休息！」寶拉的眼神仍舊充滿憂慮。她慢慢把身子往後仰。

「你眞的必須好好照顧自己！」

感激不盡。現在就連知交也對我不仁不義。爲什麼我應該照顧自己？我有一份工作，有一間公寓，而且我過馬路時，先看左邊再看右邊。當然在英國例外。

「我是說眞的！」寶拉說著，好似她能看穿我的思緒。

「我只不過是愛上了瑪西雅！」我辯護著，然而寶拉就是搞不懂我。我們兩個一言不發了一段時間。一個穿著淺藍色浴袍的女子，往餐廳內望了一下。在這一秒之中，我因爲害怕那是瑪西雅而全身發顫。

「不妨去度假散心吧！」寶拉建議我。

「我才剛度假回來！」

「噢……！」

「妳要在慕尼黑待多久？」

「只待到明天！」

「好，等妳回來之後，我再打電話給妳！」

「說到做到！」

寶拉顯得稍微放了心。她付了我喝的五杯蘋果西打，甚至還付了我洗芬蘭浴的門票。我很想敬謝不敏，卻無法不接受她的好意，因爲我身邊根本沒有帶那麼多錢。最後，我甚至還有辦法說服寶拉載我去愛爾蘭酒吧，而不是送我回家。我向她借了五十歐元，又再次保證自己很快就和她聯絡。然後我給她一個小親親便下了車。她趕去下一場聚會，我則推開了愛爾蘭酒吧的門。

我在吧台的空位坐了下來，喝著五品脫的海尼根啤酒，醉醺醺地望著一些愛爾蘭砌牆工丟人現眼地唱著卡拉OK。我保證，這是我平生第三千次聽到〈鄉村路帶我回家〉這首英文歌。可是在我喝了第六品脫之後，我根本不像酒吧的寂寞牛仔感到暢快淋漓。我可以打電話給弗里克，然而我似乎缺乏興致。反正他還在生我的氣，因爲我吃掉了阿殺馬先生的生日蛋糕。於是我向整整六個人談起我的未婚妻瑪西雅。這些人我從來沒見過，將來也不會再見

面。我告訴他們瑪西雅的事，可能是因爲他們不會問我我到底怎麼搞的。我又繼續喝了兩品脫。當我唱著法蘭克辛納屈的〈My Way〉而被聽衆噓下台時，我抓起我的夾克和洗芬蘭浴的用具袋，塞給吧台後方的愛爾蘭胖子五十歐元，然後回家。我覺得我唱得很好。

11 蝦仁多娜堡

我非常肯定這是一樁陰謀。否則爲什麼總是在我在愛爾蘭酒吧灌了幾品脫海尼根之後的隔天早晨，當我還躺在床上頭痛到抓狂、迫切需要休息的時候，就出現垃圾車員工和郵差按門鈴？儘管我奉行多年的金規，就是對這些超愛按鈴的恐怖分子不理不應，可是他們仍舊不按不死心。只要破例一次去應門，就會沒完沒了，至死方休。垃圾車員工和郵差總是記得哪一家有人應門這種事情。畢竟分秒必爭是他們的任務所在！

當我把對講機的電線拔掉時，我思索著如果今天又請假在家會怎麼樣。我很快就下了決定。我乾脆就留在家裡，理由很簡單，因爲我就是可以留在家裡。爲了鞏固這項臨時起意的決定，我又把自己拖到臥室裡，在背後塞了兩個枕頭，然後打開電視機。因爲我有打電話請病假的義務，所以我把無線電話擺到床頭櫃上。最遲在上午十點，我必須向公司告假。有史以來，請病假便是很累人的事情。以前還在上學時，必須在父母面前裝瘋賣傻才能得逞，現在則是自導自演。如果有人非常喜歡自己的工作，當然就不會有這種問題存在。但是天底下

偏偏沒有這種事，至少我還沒有聽說過。我打開電視。股市行情正下跌中。

跑馬燈字幕上顯示著：安聯保險 106.70 -2.8%，拜爾 19.30 -4.7%，商業銀行 15.90 -1.0%。一個長相有如馬鈴薯的分析師，興奮地向觀眾解說獲利報酬率。我自問，股價滑落時如何獲利？不過，這也就是爲什麼我躺在床上聽解說，而這個馬鈴薯在電視台進行分析，並非反過來的原因。電視畫面的右上角，顯示著九點五十七分。時間差不多了，我也該胡思亂想一個堂堂正正的小病了。我望著天花板，挖空心思地想來想去。超級銷售高手西蒙，昨天還穿西裝打領帶，一副健朗活躍的樣子，如果佯稱患了流行性感冒，恐怕沒有人相信。如果是越南的急性流行感冒呢？也是鬼扯。急性嚴重呼吸道症候群SARS或者愛滋病AIDS，可能也有點離譜。AIDA頂多只是俱樂部遊輪，不是疾病。鼠疫，我覺得很有趣，但是漢堡市的熱帶病學研究院可能將派出兩名穿白衣的醫護人員前來調查，然後把我隔離檢疫兩年。如此一來，我根本無法再喝幾品脫的啤酒了，而是用病患專用尖嘴杯喝無聊的小麥糊，或者像可憐的養殖蝦一樣吞抗生素。蝦中毒？這就對了！我在將近午夜十二點時買了一點小吃，裡面一隻微小卻陰險惡毒的汙染蝦，幾乎奪去了我的性命。我把電視機的聲音轉小，咳嗽一下清清嗓子。接著我大聲說了兩次「試音、試音」以及「哈囉，科隆！大家今天好嗎？」便拿起電話聽筒。令我我高興萬分的是，響了嘟嘟三聲之後，既不是弗里克也不是貓頭鷹接起電話，而是另一位四眼田雞同事沃爾克。當我說出吃了汙染蝦的事時，我努力

讓自己聽起來痛苦不堪。

「三更半夜你在哪裡買蝦子吃啊？」

蠢斃了。這一點我怎麼沒想到。

「就在土耳其人的小吃店啊！」我說。我「聽見」沃爾克在電話另一端沉默不語。

「我吃的是蝦仁多娜堡！」爲了保險起見，我又補充說明。

「是這樣哦！」

爲了讓沃爾克盡可能對我的病症產生具體印象，我還告訴他我體內新陳代謝後的排泄物最新濃度。而且我也不忘表達我的個人意見，也就是像這種生產有毒食品的國家，不該加入歐盟。在我提及人權狀況以及有關庫德人的政治問題之前，沃爾克祝我早日恢復健康，我們就掛上電話了。我過關了！我把電話塞在我旁邊的枕頭下，然後又專心觀看n-tv電視台的跑馬燈字幕。

先靈 41.70 -1.2%，西門子 56.89 -3.8%，西蒙．佩特斯 0.29 -180.0%。

西蒙．佩特斯？

因陷於財務危機與私人問題，德國電信公司T點銷售服務站銷售員西蒙．佩特斯的股價直線跌落谷底。大多數的分析師已經緊急呼籲將佩特斯股票脫手。投資人長年期待佩特斯在

人際關係與事業方面的必要改造措施已徹底落空。佩特斯本人昨天則在愛爾蘭酒吧召開資產結算記者會，將股價大跌歸咎於情路坎坷、奧地利帕動足球隊的守門員虛克古魯伯，以及他自己所形容的「爛工作」。

☠ ☠ ☠

我對自己低迷的股市行情感到失望，所以我關了電視，吞了第二顆擺在床邊以備不時之需的阿斯匹靈，然後等待著頭痛減輕，並努力想著一些美好的事情，以便入睡。可惜我想不起任何好事，只有一堆破爛回憶。我感覺自己一分鐘比一分鐘更衰弱。眞是不可思議啊，當我對著窗戶向右側躺時，我這樣想著。不可思議，因爲不一會兒功夫，我就已經暫時與世隔絕。我只不過打了一通電話，就立刻過著自作自受的隱居生活，用無聊的脫口秀節目轟炸自己腦袋裡殘餘的部分。既然如此，我也沒輒。就讓西蒙·佩特斯消失一天又怎樣。可是假如西蒙·佩特斯明天也消失了呢？後天也沒出現呢？突然間，我擔心自己莫名其妙的不存在，並不限於今天而已，而是一輩子。「西蒙·佩特斯」與「不存在」！心理學家或許會說，這是以否定的方式下定義。或許他們也不會這樣說。我並沒有任何心理學界的熟人，所以我不確定。我可以舉出上千種我不喜歡的事物，可是我到底喜歡什麼呢？我又轉身背對窗戶，然後

把頭埋在枕頭底下。西蒙·佩特斯不喜歡星巴克。西蒙·佩特斯不去上班。西蒙·佩特斯不用吸管喝這杯飲料，因爲金剛芭比男同志才會用吸管。西蒙·佩特斯不去這種迪斯可舞廳，因爲裡面那些人沒有他的格調！那麼假如「我」有我的格調，「我」會想要認識我這個人嗎？恐怕不想。哈！又出現否定詞「不」！我考慮了一下，是否應該再翻翻《不煩惱，活下去！》這本書，但是因爲我有氣無力，所以還是留在床上爲妙。我又轉身朝向窗戶，接著換成趴睡姿勢。趴在床上除了非常舒服之外，最主要也很安全。如果竊賊破門而入，他們就無法襲擊我的肚子。我從許多偵探小說得知，竊賊總是扁被害人的腹部，只有那些來自俄國的竊盜會拳打腳踢被害人的腎臟部位。爲了安全起見，我又改成仰臥姿勢，並且把枕頭放在肚子上。我思索著，想要說服自己起床，可是我想不出任何理由。

我撥了寶拉的電話號碼，因爲她或許能替我找出一個應該起床的理由。可惜我只聯絡上她的語音信箱。我的留言只有兩個字：

「救我！」

然後我便睡著了。

☠ ☠ ☠

將近中午時，從走道傳來震耳欲聾的霹靂啪啦聲，讓我嚇一大跳。搞什麼鬼？我換成肚子朝下的伏臥姿勢，緊張地聽著屋裡的動靜。幾乎有一分鐘的時間，我屏氣攝息不敢呼吸，也不敢移動半公分，直到克羅埃西亞的民謠以及吸塵器噪音傳入我的耳中，才鬆軟了我驚呆而僵直的身體。天啊！今天是拉拉的清掃日！偏偏在今天！早知道我寧可去上班！我不耐煩地穿上運動褲和印著「艾爾邦迪大學」的T恤，然後拖著腳步走向客廳。和我不同的是，拉拉反而很高興見到我。她把吸塵器關掉。

「西蒙，我以爲你去上班了！」

「我生病了！吃壞肚子。」我一邊說，一邊疲累地往我的珍妮朗特沙發倒下。

「西蒙，有關你的音響喇叭，我覺得對不起。」

她和我的音響喇叭有什麼關連？這是什麼意思？

「我不小心用吸塵器去吸，上禮拜的事，不過現在還是有音樂出來！」

聽到這個消息後，我震驚地奔向價值三百歐元的喇叭筒。果然：一片裂開的低音薄膜可笑地搖晃著，像是爲拉拉的克羅埃西亞民謠打拍子。

「我捅了狗屎婁子嗎，西蒙？」

因爲我不是壞心腸的人，也因爲老子有錢，所以我對她說，她並沒有捅婁子，錯在我身上，因爲我沒有在喇叭筒上加護蓋。於是拉拉放了一百二十個心，我則去浴室沖澡。當我用

十歐元的抗禿頭洗髮精洗頭時，我才想起來，我根本沒有忘記把護蓋套在喇叭筒上。拉拉一年前把護蓋扔掉了，因爲她以爲那是包裝盒的一部份。我只用一條大浴巾裹著身體，便悄悄溜進臥室穿衣服。我連衣櫃門都還來不及推開，拉拉便逮住我，遞給我一張黃色通知單。

「西蒙，你有包裹！」

我從拉拉手中搶下通知單。原來，我今天可以領取酒醉時向電視購物台訂購的所有好東西。我的心情好了起來。或許我今天甚至可以讓我買的那一台遙控直昇機飛起來。況且這張領取通知正是我出門的好理由，可以順理成章地把團團轉的拉拉、她的廚房紙巾筒以及音樂拋在身後。我迅速穿上夾克，徒步走向郵政總局。我當然故意繞路迴避我們的電信公司T點銷售服務站，雖然我巴不得能夠望一眼星巴克小妞。十一月的冷空氣，令我神清氣爽。一如往常，新鮮空氣總是讓我特別舒服，因爲我在前夜喝得爛醉如泥。如果神智清醒的人在秋天散步，呼吸到的只不過是正常、平庸而且被視爲理所當然的空氣。那些禁欲成癖而滴酒不沾的人，眞是令我同情，因爲和我相反的是，他們一輩子都無法體驗到這種呼吸新鮮空氣的喜悅。沒錯，他們根本不曉得什麼是新鮮空氣。

在郵局裡排隊等候領取包裹的人，竟然出乎意料的少。可是我憑單領取的幾個包裹，卻出乎意料的大。

「這麼大，我怎麼搬得動？」我抗議著。

「是您自己訂購的東西，可不是我！」一個滿臉皺紋的郵局職員對我發牢騷。

就在我發脾氣之前，我看見有如浴缸大的包裹兩側印著又粗又大的字：「查克·羅禮士全能健身器」。我推著三個包裹離開這個姓皺名紋、而且像士官長一樣嚴苛的郵局職員。因爲我比許多人聰明，所以我很快就曉得如何自助自救。我把兩個較小的包裹綑在全能健身器的大紙箱上，然後像漫畫英雄歐貝里斯一樣，搖搖晃晃地走出郵政總局。我並沒有走得很遠。因爲整整走了二十公尺之後，我便撞見我的女主管「貓頭鷹」。

人生中，有美好也有不美好的時刻。躺在里約熱內盧的科帕卡巴納海灘上喝啤酒，看著一些騷莎舞翹臀小妞打沙灘排球，就是美好時刻的一例。然而生命中的不美好時刻，便是坐在火車站的咖啡屋內向女主管解釋，爲什麼自己在吃了蝦仁多娜堡而請病假之後，卻拖著半座健身房在市街上遊晃。貓頭鷹一根接一根的抽著菸，緊張的模樣彷彿是我逮到她前夜喝醉，而不是她逮到我。她不斷試著捕捉我的目光，而且對我說著諸如此類的話：「西蒙，你知道，我根本就沒有生你的氣，但是我們必須好好處理這件事！」我喝了一小口橘子汽水，眼睛往窗戶外看，嘴裡咕噥說著一些廢話，如「不會再有下一次」、「剛好是低潮期」等等。她只是搖著頭。最近只要我出現在她附近，她總是這樣搖著頭。她又說，如果我有任何問題，可以放心對她傾訴。

我對她說，我的情緒有些亂七八糟，全都是因爲我打了好多電話到西班牙聖賽巴斯提安

市的醫院。我的小妹在一場嚴重的車禍之後，躺在那裡的加護病房裡。她其實只想在當地上兩週的西班牙語課，誰料就在普拉多Prado前面，一個騎偉士牌機車送雜誌的少年不小心撞上了她。

「普拉多？在聖賽巴斯提安？」貓頭鷹問著。

「我是指時尚名店，不是博物館！」我試圖挽救。改善我的普通常識，實爲我的當務之急。接著我努力流出一點眼淚。我成功擠出了三滴。我知道這種舉止既娘娘腔又笨拙，但是如果能夠就此保住飯碗，反而很合理。貓頭鷹擁抱了我一下，然後說她完全支持我，又說我不該還在這裡逗留，應該立刻趕往西班牙。至於休假這回事，不成問題。接著她結了帳，我們一起走向她的車，因爲她載我回家。她誠摯地祝福我小妹早日康復之後，才讓我進入家門。

我覺得自己比早上更不舒服。可能是因爲我的小妹此刻正在南德的班堡市讀大學，學的不是西班牙文，而是義大利文，她開的還是BMW轎車，和偉士牌機車一點關係也沒有。我把屋裡的燈打開，卻不見燈亮。在廚房的桌子上，有一張倉促寫下的字條：

我捅了狗屎妻子，燈壞了。衷心問候。拉拉。

我四處張望，發現畚箕裡堆著燈具的碎片。

剩下來的下午時間，我主要都坐在撕開的紙箱前，面對著我的無線遙控直昇機。我頭一

遭領悟到「組裝」這個字眼的意義有多寬廣。這個爛東西至少由一千片組成！我放棄今天進行組裝的工作，然後傳了簡訊給弗里克。我向他說明自己的健康好轉，而且正式從下午五點十五分起，有一個身受重傷而躺在西班牙醫院的妹妹。對貓頭鷹要這一招，鐵定萬無一失。弗里克回了簡訊給我，表示雖然我神經不正常，但是他仍願意和我去喝啤酒，因爲有事值得慶祝。我很高興他終於化干戈爲玉帛，所以就答應了邀約。

編按：多娜堡（Döner）類似台灣常見的中東沙威瑪，主要就是把肉串在垂直的桿子上燒烤，可能是牛肉、羊肉或雞肉——就是不會有蝦仁。

12 在海邊的那天

我們還未喝到三品脫啤酒，而且剛剛還一起痛快地數落菲爾，突然間，弗里克竟搖身變成極其自豪的男人，描述著他和女友丹耶拉的交往有多麼棒，以及丹耶拉有多麼可愛，還有他以前從來不曉得自己身邊多麼需要這樣一個女人。而且從現在起，他們擁有正式的男女朋友關係，因爲弗里克問了丹耶拉，他們倆算不算一對情侶，丹耶拉毫不遲疑地回答：「應該是！」

「她說『應該是』？」我詫異地追問。

我設法隱藏自己的驚訝。

「沒錯！」

我瞄著弗里克，他最近的轉變果然顯而易見。不只是他的衣服今晚又潔淨無汙點，就連他的襯衫衣角，也不再習慣性地在他身上那件醜得要死的C&A廉價長褲外張望。儘管如此，他整體看起來仍舊矬斃了。

「你現在總該爲我高興一下吧！」弗里克一邊要求，一邊舉起他的杯子，準備和我敬酒碰杯。

爲了表示我內心無聲的抗議，我一口氣喝光一品脫的啤酒，打著嗝說：「我很高興！」顯然是謊言。弗里克和他的蠢女友丹耶拉現在正式成爲一對情侶，我不感興趣。我也不想知道他們的性愛是否幸福美滿。他和丹耶拉能夠一起開懷歡笑，互相談心傾訴，又關我什麼屁事！我直截了當地這樣告訴弗里克，因爲待友之道，就是必須把內心的感受坦白說出。

弗里克默默看了我一眼，問我爲什麼如此激動，他只不過想和朋友分享他的幸福而已。我譏笑揶揄他一番，因爲我的朋友竟然願意和我分享他的幸福，這讓我覺得異乎尋常。

「我從你那裡分享到的幸福在哪裡？」我一邊罵著，一邊機械性地拿了我的第四品脫啤酒。「我可以和你的丹耶拉一起躺在沙發上看電視嗎？我可以和你的丹耶拉一起出外度假，或者在電影院裡卿卿我我嗎？只有一年中的某段時間嗎？還是每個月兩週？或者每一週兩、三天？哈！現在你懂了吧！當然不行。你要跟我有福同享個什麼狗屎！」我把弗里克擊潰了。他的神情已完全失去先前的平靜。

「你根本就曉得我說的意思！那只是一種譬喻性的表達！」

「我才不管你說的是什麼意思。沒有人分享幸福，因爲幸福無法分享。幸福可以傳達給別人知道，但是也只限於這樣。笨蛋！」

我說完這些話，便把弗里克獨自丟在他的幸福桌旁。我丟下他不管，因爲我無法忍受別人未經我的同意，便以他自己的幸福騷擾我。弗里克大可獨自喝光他的幸福啤酒，隨後去找他的幸福女友。然後他可以和她做愛做到失去理智，如果受到幸福之神眷顧，九個月之後他們將會有一個幸福寶寶。這九個月當中，他們倆大可嘰哩呱啦、天南地北聊個沒完沒了。我一言不發地關上酒吧大門。弗里克並沒有試著把我挽回。

這時候是晚上十點多，一陣冷風吹過潮濕的街道。我又喝了一口離開酒吧時順手帶走的啤酒。透過酒吧微濕而模糊的窗戶，我看見弗里克神思恍惚地呆望著其他顧客。我走近窗戶邊點一根菸。一輛福斯高爾夫轎車停在紅燈前，裡面滿載著四、五個穿戴誇張而且沒水準的市井小民，他們開著車窗大聲叫囂，還讓愚蠢至極的電子音樂震耳欲聾地從車裡傳出。一個缺乏教養的金髮少女，在後座大聲鬼叫著「操！」，而且對我吐舌頭。我向她舉起我的中指做爲回答。接著這一車的人大喊著「下三濫！」以及「混帳！」，便發出尖銳的輪胎聲馳騁離去。我用腳踹一個垃圾桶之後繼續往前走。

我要去找瑪西雅。

現在！

我把喝光的啤酒杯擱在一個電纜箱上，繼續朝星巴克的方向走去。我有如一個微醺的機器戰警，被遠端操控著，而且意志堅定，爲了抵抗世界上的邪魔而展開行動。但是展開什麼行動呢？上百萬個念頭閃過我的腦際。我問自己，當我站在瑪西雅面前時，我到底想怎麼樣？我總得設法引起她的注意。我可以進行助跑，然後一鼓作氣衝向店前的玻璃牆。問題只在於這樣做之後，我是否還有能力和她說話。當然沒有。我也可以進去店裡點一千杯大杯那堤瑪奇朵，那麼她必須加班到明天早晨，而我就可以整夜看著她打奶泡。而且喝這麼多咖啡，保持清醒當然也不成問題。一輛電車在距離我只有一公尺的地方呼嘯而過。我差點就被撞上了。好險。只要再拐一個彎，瑪西雅的星巴克就到了。

現在如何是好？想一想，西蒙。事情或許比你想像的簡單！我到底要幹嘛？非常簡單：我要瑪西雅。因此我必須開口向她搭訕。而且就是現在。不是明天，也不是後天。就這麼簡單。我決定數到十，然後踏著堅定的步伐，帶著勝利者迷人的笑容進入星巴克。然後我要問她下班後有沒有空。每天有幾千個男人這樣搭訕女人，而且其中有不少人在短短幾秒鐘之後，便和未來的老婆一起離開了咖啡屋、超市或保齡球館。當然，此後也常常發生一些諸如槍殺、恐嚇及劈腿等糾紛，但結局總是幸福美滿。畢竟我在許多電影裡看夠了這種事。

再過十秒鐘，我就走進去和她說話！

我深呼吸了一下，然後數到十。接著我又以西班牙語和英語重新數一遍。把外語不斷運用到日常生活中，眞是方便。這樣一來，不必花時間就可以反覆練習學過的句法結構，越練越熟。用義大利語數數時，相近的拉丁文幫了我不少忙，不過我只會數到五。我點了一根菸，察覺到自己在發抖。我必須坦承的是，我不曉得如何向她搭訕。只經過星巴克而不進去，當然也是一項選擇。很好，就這麼辦吧！我只從星巴克外面經過就好了，只需一點好運，就可以竊取到她臉上甜美的微笑。我將把她的微笑私藏在我的外套裡，放在我的床鋪邊，好讓我平靜安睡。

如果我能帶走的不只是她的微笑，還有更多呢？甚至是她的全部呢？那麼我當然必須走進去，進入星巴克咖啡店內，因爲不入虎穴，焉得虎子。我必須鎭靜下來，點一千杯那堤。我也可以點一百萬杯，那麼我們將共度此生，直到生命結束——我和瑪西雅兩人。儘管是在星巴克，卻了無遺憾。我將坐在店裡凝望著她，她將不斷地打奶泡，直到年老。我們將白頭偕老，或許還會生兒育女。我看見咖啡店裡有一扇通往隔壁房間的門，我們可以在那裡男歡女愛，不久我們身邊將會多一個寶寶，而且等我的兒子——肯定是個兒子——長大一點時，他可以幫忙媽媽打奶泡。我剛算出我的「那堤美夢」竟然要花三百萬歐元的代價時，我的手機響了。是寶拉來電。因爲我的求救留言讓她擔心不已。她立刻察覺到我喝了超過一品脫的啤酒。就因爲我喝了超過一品脫的啤酒，所以我告訴她，我正站在距離星巴克不到二十公尺

的地方，而瑪西雅就在那裡工作。我還說我要點一百萬杯那堤，而且明天就要結婚。寶拉一句話也沒說。這並不是好徵兆。因此我又補充說：

「我只是想要看她，和她說話！我有理這樣做！」

「你有理這樣做？」寶拉發怒了。

「妳自己說過，我們結婚之前，我應該先認識她！」

我聽見在電話的另一端，寶拉點燃了一根菸，顯然是因爲我講了讓人毛骨悚然的鬼話。接著，她終於說話了。

「你想像一下這樣的狀況：一個喝醉的三八婆，在德國電信T點銷售服務站即將打烊之前踏進店裡，口齒不清地向你示愛。你會覺得怎樣？」

我不確定我現在是否想和寶拉討論這種情況。

「這個三八婆喝得有多醉呢？她長得漂亮嗎？」

「你現在可不可以正經一點！」

「好……啦，我覺得很爛，如果她進來店裡，這個三八婆，醉醺醺。這是妳想聽的話嗎？」

這正是寶拉想要聽的話。

「你現在回家去，然後從家裡再打一次電話給我，你就可以得到你想要的『寶拉策

略』。」

這正是我想要聽的話。

「真正的『寶拉策略』嗎？就像以前妳教我怎麼追那個牙醫女助理布瑞塔嗎？」我興奮不已地問。

「就像以前追布瑞塔的策略！」

「妳是世界上最棒的寶拉！」

「你保證現在立刻回家？」

「我保證！」

「那麼等一會兒講電話！」

「等一會兒講電話！」

我把手機擱到一邊，臉上泛起了今天第一次出現的微笑。

跟蹤瑪西雅實在很簡單。起初我嚇了一跳，因爲咖啡店內部只剩緊急照明燈亮著。不過，瑪西雅和她的女同事最後仍走出了店面，把門鎖上後，便一邊聊天，一邊往電車站牌的方向走去。我自己也不清楚，我還站在這裡幹嘛。但是我知道，我想在瑪西雅的身邊。瑪西雅在電車站牌和她的女同事告別後，便跳進了九號車內。我坐在同一個車廂，和她隔著一段安全距離。電車嘎吱嘎吱地行駛著。過了一會，我們跨過萊茵河，離開了燈火通明的科隆

市，往黑暗的不知名處前進。

我的腦袋裡又開始打著轟隆作響的雷陣雨。我的思緒剪不斷、理還亂。如果我終於釐清一個念頭，則又是沒有解答的問題。萬一她發現我，而且有被跟蹤的感覺怎麼辦？萬一我嚇到她了呢？又過了兩站之後，這節車廂內只剩下我們兩個。我注視著她在玻璃窗上的投影。她戴著隨身聽耳機聽音樂，和我一樣兩眼空洞地望著車外。即使她今天一臉倦容，還是一如往常的美麗。我聽見嗶嗶兩聲，我的手機顯示出寶拉的簡訊：你到家後打電話給我。別輕舉妄動！

九號電車抵達了終點站「國王森林」，整整離科隆十五公里。電車嘎吱嘎吱地靠向站牌，然後車門打開了。當我下車跟在瑪西雅後面時，我覺得自己彷彿踏進怪誕的電影布景內。四周房舍的窗戶邊漆黑無燈，路上也不見半個人影。現在不過晚上十一點多而已！在我繼續跟蹤瑪西雅之前，我在電車旁稍等了一會，以免自己曝光。我當然覺得自己的行徑有些奇怪。在夜晚跟蹤一個素昧平生的女子回家，這種事我也無法引以爲傲。這件事的奇怪之處在於，我竟然比她還害怕。於是我脫掉鞋子，因爲四周安靜到令人不可思議，每一個腳步聲都可聽得清清楚楚。柏油路又濕又冷。走了幾公尺之後，瑪西雅便隱沒在路邊一棟公寓的入口。我並未阻攔她進去。我在對街的一個小石牆上坐了下來，悄悄聽著她的腳步聲在樓梯間盤旋而上。原來她住在這裡，世界上最美麗的女人。那是一棟外部以白色牆磚覆蓋的戰後

出租公寓，與科隆市區遙遙相隔。我眞希望今晚就能把她救出這個窟窿，給她更好的居住環境，更好的生活，更好的城市，更好的家。或者更棒的是：一幢在加勒比海的豪宅。三樓的窗戶內突然亮起了燈，接著我便看見了她。我看見她疲倦地脫掉外套，並且把窗戶打開。然後她又熄了燈，點燃了幾根蠟燭。接下來就沒有再見到任何動靜或影子。可能她已經躺在床上休息了。她的窗內突然傳出音樂，起初很小聲，漸漸轉爲大聲。我立刻就聽出這是什麼曲子，而且這首歌猶如閃電一般直接打進我的內心。那曾經是我最喜愛的歌曲。瑪西雅聽著我最愛的歌。

你感受著體內川流不息的生命活力
人生從未如此和諧與享樂
沒有任何事還需改善
沒有其他更美好的事
除了此刻的你以及在海邊的那天

這是心情好的愛神對我指點迷津嗎？祂要告訴我：西蒙，你選擇了正確的路？一切都會雨過天晴嗎？我在冷冷的石牆上躺了下來，讓自己在瑪西雅的公寓裡漫步神遊。既然我不能

敲她的門，我也要盡可能地與她心心相印。不只是靠近她的心靈，而且也像她一樣躺著聆聽屬於我們兩人的歌。一遍、兩遍、三遍。或許在此刻，她也和我一樣，體驗到內心小鹿亂撞的陶醉感。她肯定可以感應到，她只是還無法辨識出來源。我和瑪西雅又聽了一次這首歌，第四遍。接著我們進入夢鄉，臉頰貼著臉頰，緊緊相依相偎。分隔我倆的只是絲質窗簾、一條兩線道的街，以及一個小石牆。在海邊的那天讓我們緊緊相連。

13 寶拉策略

「你說說看，你的腦袋燒壞了嗎？」弗里克大聲斥責，把我推倒在一張壞掉的籐椅上。若是用從一標到十的刻度尺來衡量，一代表不怎麼生氣，十代表火冒三丈，我將給弗里克整整一百。無論如何，我從來沒見過他這個樣子。而且最糟糕的是，我只能猜測他這麼火大的原因。

「我向你道第十次的歉：對不起，我吃掉了阿殺馬的蛋糕！」

「和那件事無關！另外，他叫作阿紹爾！」

「是和哪一件事有關？」我低聲問。在國王森林的石牆上過夜之後，我仍然覺得全身倦怠。大約在凌晨三點時，寶拉的來電吵醒了我。謝天謝地！否則我可能還一直躺在那裡。然後寶拉開車來載我回家，途中還不忘重新提醒，她很擔心我的情況，而且我真的應該冷靜下來。在我家裡，我們還喝了一瓶啤酒。凌晨約四點時，我和寶拉已經擬定好追求瑪西雅的完美計畫。倘若不是弗里克這麼大聲咆哮，我早就學以致用，展開了第一步驟。

「和你完全瘋了有關係。和沒有人曉得你到底怎麼搞的有關係！起先是鬧空門，然後是寶拉告訴我的事。」

「她說了什麼？」

「她把你從科隆十公里外的一個矮牆上帶回家！你整個人都已經凍僵了，卻還不想離開！」我簡直可以一頭撞上天花板。寶拉這個大嘴婆！

「我聽音樂睡著了啊！」

「在牆上？零下兩度？你是阿達！」

「現在很少人這樣說了哦……阿達這個詞落伍了！」我抗議著。接著，我頭一遭看到弗里克把一張籐椅丟到對面牆上。

「你這樣是幹嘛？」我想知道。

「好，你又怎麼解釋你刷菲爾的信用卡買直昇機？還有你妹妹躺在西班牙的某家醫院裡？你妹妹住在南部的班堡市，而且是法律系學生！」

「企業經濟學系！」

「這不是狗屁重點！」他大發雷霆。

我讓最後一根丹麥王子香菸從菸盒內滑出。聽他這樣一一列舉，整體而言，我必須承認我的行為頗讓人詫異。

「你到底怎麼搞的，我去他媽的再問你一次！」

「我戀愛了！」我說。

「戀愛了？你根本就是不爽，偏偏我有女朋友，你沒有，這才是真相！」

「你別這樣！」

這時門打開了，一隻憂心忡忡的貓頭鷹往裡面巡視了一下。她的髮型比往常更糟糕。顯然她新買了一支一萬五千瓦的吹風機。

「啊，西蒙。你妹妹的狀況好嗎？」

「好多了！」我們兩個粗聲粗氣地一起回答。貓頭鷹露出「我來的不是時候」的表情，然後小心翼翼地把門關上，彷彿這扇門是千層餅麵團，隨時都會垮掉似的。

「今晚八點！」弗里克一邊說，一邊用手搥著桌子以便支撐自己。

「今晚八點要幹嘛？」我想知道。

「我們今晚聚會，而且如果你這次不中途落跑，我們會感激涕零！」

「我聽見你說『我們』？」

「沒錯。我們。寶拉，菲爾還有我！」

「然後我們一起喝些啤酒，然後你們再質問我第十次，問我最近到底怎麼搞的，然後我說『沒事』，然後你們就覺得盡到了朋友的義務，所以內心很爽地回家去。我說的對不

對？」

「怎麼會有你這種白痴！」

「隨你怎麼說。我不去！」

「你哪裡都不必去，因爲我們就在你家碰面！」

「噢！你們可眞會打如意算盤！」

「喂！爲了這個聚會，我必須蹺掉一堂西班牙語課，這樣可以吧？」

我也說「可以」，因爲我想不出說什麼才好。接著我把菸抽完，拖著腳步回到銷售服務台。這個下午，我賣掉了三份手機合約。我從收銀台裡拿了一百五十歐元，買了兩張「瘋狂四人組」的演唱會門票。

剩下來的步驟比我想像中還簡單，因爲接下來就輪到我的「寶拉策略」上陣。「寶拉策略」不只簡單，大多數也非常成功，因爲她的策略蘊藏著女性觀點。我從寶拉那裡學到，女人認爲和陌生男子一起到餐廳吃飯風險最高，因爲坐在那裡簡直就像肉凍似的，想跑也跑不掉。下班後和陌生男子一起去聽演唱會，可能性反而比較高，何況這場演唱會和對方最喜愛的樂團有關，更是値得一試。由於這個計畫聽起來實在順理成章，所以當我下班後立即在星巴克店內排隊求見瑪西雅時，我並不怎麼緊張。可是當我終於站在她面前時，我的脈搏卻開始狂跳。

瑪西雅看起來又是美麗得不像話。除此之外，我還注意到她的名牌位置比上次稍微往左移了一些。我擺出既和善又淡然的態度，點了小杯那堤。我先讓她把我的點購鍵入收銀機，接著我就必須對她說出我和寶拉挖空心思套好的話。構思這樣一句話，可不像小孩玩辦家家酒。我們花了好幾個小時考慮所有可能的狀況，以便找出天下無敵的追求策略。若沒有寶拉相助，我肯定會在問了瑪西雅第一個問題之後，就拿著我的那堤滾到皮沙發上去：

> 你們同事當中，有誰對明天的瘋狂四人組演唱會感興趣？我還有一張入場券！

若沒有寶拉相助，我會把這種話說出口。當掉了！留級！面壁思過！這種問法太大言不慚、太沒頭沒腦、太冷漠而缺乏個人化。而且「感興趣」一詞也不夠現代，大概只有弗里克才會這樣說。畢竟我又不是想把一張入場券脫手，而是想和這個站在收銀台結帳的美女一起去聽演唱會。

> 對了，妳知道有誰是瘋狂四人組的歌迷嗎？我還有一張多餘的入場券。

成績丁下。比剛才好一些，可是仍舊很糟。這種輕描淡寫的隨口問問，技巧破爛到豬都懶得相信我。畢竟我也不會問我的銀行理財顧問是否恰巧認識某人，自願幫我提高提款透支額的限度。

所以應該改善之處就是：個人化。另外，如果我的入場券是別人所贈，當然更加完美，因爲如此一來，她不需強迫自己爲這樣昂貴的門票酬謝。

我從來沒做過這種事，可是我想請問，妳願不願意明天和我一起去瘋狂四人組的演唱會？我有一張多餘的免費票。

這個方式絕不可行！說自己絕不會做某某事的男人，其實每天都做。至少女人這麼認爲。因此只要在能力範圍之內，保持誠實爲上策！最好的方法當然是什麼都別說，而且就是現在這個時候！

「請付二點三歐元！」瑪西雅微笑著說。

當我從皮夾裡抽出一張十歐元鈔票時，刻意不小心讓一張瘋狂四人組的演唱會門票跟著掉出來。

「馬上就好！」

這下果然：她望著我的皮夾，接著發現了演唱會門票。賓果！

「好棒噢！瘋狂四人組！你要去聽演唱會嗎？」

「當然囉！我興奮期待好幾個禮拜了。妳呢？」

「我本來想去，可是三十五歐元的門票我買不起！」

「嗯……」我喃喃發聲。

寶拉說，猶豫的這一秒鐘影響甚鉅，因爲這將讓我顯得臨時起意，一切沒有事先安排的痕跡。於是我露出一副思索的模樣，然後便遞給瑪西雅其中一張入場門票。

「這樣吧，這張票妳就拿去。反正這是贈票，我沒花錢，況且我的死黨當中沒人喜歡瘋狂四人組！」

瑪西雅拿了門票。寶拉說過，如果禮物已經拿在手上，想退還回去比直接拒絕收禮還要困難。瑪西雅更不可能這麼做，因爲當她和我握手致謝時，整個面容變得神采奕奕。

「您眞的要把這張門票給我嗎？」她難以置信地又問了一次。呃……心如刀割。她竟然以「您」敬稱我。

「用『你』就可以了！」

「當然當然……我叫瑪西雅！」她說著。

「我叫西蒙，」我一邊說，一邊指著我的胸部。「抱歉，我忘了戴上我的名牌。先祝妳演唱會那一晚玩得愉快吧！說不定我們會在那裡巧遇！」

說完這些話，我便拿著我的咖啡離開，坐在一張厚重的紅色單人皮沙發椅上，隨手翻閱一本某個年輕媽媽沒帶走的親子雜誌《父母》。確實很恐怖，若不注意的話，在懷孕期間的飲食可能會大錯特錯。刻意冷落瑪西雅的這段時間，顯然是整個追求計畫當中最困難的部分。現在我也只能期盼和祈禱了。當我開始讀著一篇有關少年幫派鬥毆的文章時，瑪西雅端了一塊可口的紅蘿蔔蛋糕給我，還問及我們是否要在演唱會上見面。我告訴她，我將在入口等她。我快樂得可以擁抱整個星巴克咖啡店！

14 我叫「胡里安你叫什麼名字」

西班牙語課的地點，是在一家西班牙下酒小菜餐廳「強尼圖里斯塔」的地下室。當我踏進教室時，已經有三個學員到了。我立刻認出丹耶拉。她的外表就和弗里克描述的一模一樣：黑色短髮，身材有些壯，但是不胖。相形之下，她的容貌卻美麗極了，鼻子可愛嬌巧，而且我很快便察覺到她爲人親切又坦率。爲了避嫌，我以「尼爾斯」這個名字自我介紹，她微笑地望著我，說她叫丹耶拉。丹耶拉旁邊坐著兩個穿西裝外套的男性同胞，看起來就像是媽媽牌乖兒子。他們兩個的外套底下露出灰色套頭毛衣。兩者都醜得要命。我是指毛衣和這兩個人。他們兩個完全無視於我的存在，並沒有讓我過度傷心，因爲他們倆正埋頭寫作業，參考著一些動詞強弱變化表。這兩個人的態度認眞到甚至愁眉不展，彷彿不是來酒館上輕鬆的西班牙語課，而是和土耳其簽訂加入歐盟的協約。我對著丹耶拉微笑，然後在她對面坐了下來，在我隔壁的是那兩個討厭的歐盟官員之一。

「到目前爲止，你們學了些什麼？」我一邊問，一邊不忘友善地望著隔壁，好把那兩個

穿著灰泥毛衣的傢伙也一起拉入談話。然而那兩個傢伙只埋頭於動詞強弱變化表，根本沒聽見我的話。反之，丹耶拉顯然萬分感謝我把一股活力帶進了西班牙語課。

「只學了如何說哈囉、是哪裡人而已！」她回答我。

「嘿！這個我會！」我高興地說。

「那就說說看！」

「哈囉！我是科隆人！」我說著德語。

丹耶拉不得不捧腹大笑。左邊那個水泥臉這時候才注意到我的存在，狐疑地從他那一副很矬的健保給付眼鏡框上方望著我，然後向我伸出像魚一般濕冷又黏滑的手。

「哈囉！我是蟆特！」他清著嗓子說，微笑中露出一副感冒鼻塞的模樣。

「恭喜！」我嘴裡一邊說著，心裡一邊壓抑噁心想吐的感覺，因爲他的手像黏答答的水母。蟆特！他的父母至少還有靈敏的判斷力，足以替天生就像醜八怪的兒子取個非常匹配的名字。

結果呢？是男孩還是女孩？

是癩蝦蟆！

癩蝦蟆？這眞是大好消息！那我們就叫他蟆特！

「爲什麼向我恭喜？」癩蝦蟆想知道，眼神非常嚴肅。

「抱歉，因爲你看起來很像今天過生日！」我說著，並且露出若有所思的表情。這時，第二個水泥臉終於也注意到我的存在。

「我叫尼爾斯。」我做了自我介紹，並且和第二隻癩蝦蟆握手。他們顯然是雙胞胎，因爲這次跟我握手的水母，顯然浸泡在一桶具有鎮靜效果的纈草茶裡。

第二個水泥臉說：「我叫哺猴德！」我回答：「噢！」我不得不壓抑想尖叫狂笑的衝動。這麼土的名字！蟆特和哺猴德！假如我是RTL電視台老闆，我一定立刻給這兩顆乾掉的梨子製作爆笑喜劇秀。丹耶拉正愉快地讀著她的西班牙語課本。令我百思不解的是，像她這樣的女人，到底看上呆板乏味的弗里克哪一點。或許他眞的有兩把刷子，只是我不曾察覺而已？天曉得，或許他的床上功夫很厲害，還擁有傲人的巨無霸陽具，隨時待命上陣？可是我突然想起，即使擁有巨無霸陽具，也必須先贏得女人芳心才有用武之地。弗里克並不是那種風度翩翩的男子，會主動走向坐在吧台的美女，請她喝一杯辛辣的馬丁尼，並且在她耳邊輕聲挑逗，表示他很樂意馬上用他那條勃動的命根子，躬身實踐印度性愛寶典內的所有訣竅，讓她連續得到三次陰道高潮。

我覺得很奇怪，這麼多年來，我竟然沒看過弗里克裸體的樣子。他的老二尺寸不是小得不可思議，就是大得離譜。我可以約他去芬蘭浴泡「坂本龍一的機器人帝王池」，就知道眞

相了。我清了一下嗓子，在大學生用的筆記本角落寫上今天的日期，然後把手機設定成靜音與來電振動，如果弗里克、寶拉和菲爾大發雷霆打電話找我，才不會被其他人察覺。再過整整半個鐘頭，這個憂心忡忡的三人組將站在我家門口，激動地想知道我人在何處，接下來鐵定又開始討論我最近出了什麼毛病。總而言之，我閃人不在家，是下了一步好棋。這時，一個體型圓滾、皮膚曬成古銅色的男子進了教室。他身上穿著一件花色襯衫，黑色的頭髮繫成一束辮子。這種辮子，有團結就是力量的效果，無非是用來彌補他已經半禿的頭。因為他的皮箱比那兩個水泥臉的還要大，而且他的膚色黝黑，所以我猜他是西班牙語老師。不過，直到他開口跟我說西班牙語，才證實了我的猜測。

「我叫『胡里安你叫什麼名字』！」

他的名字還真是又長又複雜！我說我叫尼爾斯。不過，我只說了「尼爾斯」這三個字而已。

「咿嘰啦啥咻嗯兜啦垃斯扳喏爾啡兒噠？」這個綁著辮子的半禿頭佬一邊問我，一邊從皮箱裡掏出一大疊紙。

「他問你是不是想要學西班牙語！」丹耶拉輕輕推了我一下。

我用西班牙語說「是」，因為我總不能說，我來這裡只是為了瞧瞧弗里克的馬子而已。更何況我也不知道這要怎麼用西班牙語說。為了避免更多難堪的問題，我低著頭，忐忑不安

地在筆記本上寫著德文「這輛公車的顏色是紅色」，而且不自覺地在「公車」兩字下方畫了兩條線。我指望藉著這個雕蟲小技來迴避其他的西班牙語問題。

期望破滅。

「你在寫什麼？」

鴕鳥政策所發揮的功效僅止於此。以前在學校讀書時也不曾幫上忙。我害怕地抬起頭來，立刻望見西班牙語老師好奇的雙眼。眞衰！這傢伙還眞的相信我想學這種彈舌發音的語言。我用德語對他說，我寫了「這輛公車的顏色是紅色」。他用西班牙語回答「很好」，接著便把我的句子寫在小黑板。我不得不偷笑，所幸我在慌亂中寫下「這輛公車的顏色是紅色」這麼簡單的句子，而不是「第三代ＩＣＥ高速子彈列車的車頭，並不像日本新幹線那麼具有前衛感」。

當我拼著老命翻譯我的公車句子時，那兩個水泥臉不爽地咳了幾聲。我的天！少年郎，我們是在酒館裡做外語練習，可不是進行審訊納粹分子的紐倫堡大審！可以確定的是：下課之後，我要立刻把這兩隻癩蝦蟆和他們矬得要死的人造皮皮箱丟進我的紅色公車，然後一起扔到萊茵河裡沉下去。「這輛……呃……公車……」我結結巴巴地翻譯著，這個叫作「胡里安你叫什麼名字」的老師，立刻誇獎我，接著在黑板上寫了幾個生詞，也就是搭配單、複數的動詞，然後又寫了幾個極有可能是顏色的單字。我選了其中一個，結果又被誇獎我好厲

害，第一堂課就學得這麼好。這個「胡里安你叫什麼名字」眞是個不錯的傢伙，讓我心情大好。畢竟才上了十分鐘的課，我就會以流利的西班牙語說「這輛公車的顏色是紅色」，這得歸功於他。假如某天晚上，我既沒有錢、又沒穿衣服地躺在馬德里某個迪斯可舞廳前，額頭還被打成大腫包，需要緊急救援，這句話鐵定可以幫助我。

先生！這輛公車的顏色是紅色！紅色！！！

可是我的語言天分還不只如此。在課堂快結束之前，我已經會告訴其他學員「這張沙發很現代」、「這把雨傘很舊」、「計程車很貴」。我甚至開始自行組合句子，甚至向其中一個不知所措的水泥臉說雨傘太貴了、我要搭計程車、請問他現在對我還有什麼意見。這堂西班牙語課讓我非常盡興，而且我和丹耶拉兩個笑到差點尿失禁。那兩個癩蝦蟆似乎並不苟同我在外語溝通教學方面的另類貢獻，反而因此越來越沉默。稍後，我甚至還會說自己是哪一國人：

「我來自德國。」我用西班牙語說。

「丹耶拉呢？」名字很長的胡里安問我。

「丹耶拉也來自德國！」我發音準確地回答。因為我在句子裡用了「也」字，所以還被老師誇獎。我以前怎麼都沒想到，參加外語課竟然能夠滿足自己的虛榮心！只不過繳了一點學費，上課時胡言亂語一番，這些沒營養的屁話還會被大力誇獎。假如我打了一個全科隆市

最大的嗝，老師也會稱讚我：「非常非常好，尼爾斯！」理所當然，西班牙式打嗝才算數。原來外語是這樣學的呢！我眞的感到很興奮，就在下課前，我甚至還混過了禿頭佬狡猾的問題。

「螟特和哺猴德是美國人嗎？」黑毛禿頭佬問我。

後半段我有聽沒有懂。我回答：「不是，螟特和哺猴德是癩蝦螟！」

我和丹耶拉是唯一笑出來的人，但是無所謂，反正現在已經是下課時間了。當我在下星期的學員名單上簽名時，差點就把我的眞名寫出來，所幸在千鈞一髮之際，我想到自己今晚叫作尼爾斯。那兩個水泥臉把花花綠綠的筆以及筆記本收進他們的人造皮皮箱，沒有一聲道別便離開了。當我收拾著我的東西時，我注意到丹耶拉正看著我。

「我們總是在下課後喝點東西，你想不想一起來？」她問我，而且神情似乎有些緊張。

「好啊，但是只喝三、四瓶西班牙里歐哈紅酒。我明天一大早就得出門！」我說。不到五分鐘的時間，名字很長的胡里安、丹耶拉還有我便坐在吧台上喝美酒。我納悶著，爲什麼我們先前不一邊上課一邊喝酒。但是那兩個硬梆梆的水泥臉很可能抗議到底。我感覺我的手機正在振動，可是我完全無意接電話。當我的手機終於靜止不動時，我小心地把它從牛仔褲褲袋裡拿出來。螢幕顯示未接聽的來電共有七通。三通來自寶拉，四次來自弗里克。會不會太頑固啊。我看了一下錶。八點半。理論上，弗里克隨時都可能撞進這間西班牙酒吧裡。這

是朋友之間絕對必須避免的天大災禍。如果他看見我和他的丹耶拉坐在這裡喝酒，一定會大發雷霆，然後我必須向他解釋清楚，我對他的丹耶拉根本沒有非分之想，我純粹只是出於好奇心，單單想知道他的女友是圓是扁而已。我考慮著該不該繼續等下酒菜上桌，可是我飢腸轆轆的程度超過我對弗里克的恐懼，所以便留了下來。那個名字聽起來一大串的胡里安，名字根本很簡單，原來他就叫胡里安而已。在沒人詢問的情況下，他自己說他來自加納利群島的拉戈梅拉島，而且那些在布魯塞爾歐盟總部的大笨蛋，忘了把他的故鄉以及另外一座島印在歐元紙鈔上。他從皮夾裡抽出一張五十歐元紙鈔，指著非洲旁邊幾個渺小的點。我告訴他我剛從加納利群島回來，根本不知道在歐元紙鈔上可以看到加納利群島。接著他又告訴我們，他在某個公民自治會裡很活躍，而且將偕同一位來自拉戈梅拉島的律師，逼迫布魯塞爾的歐盟總部重印歐元紙鈔。好吧，祝你好運。我還一直以爲德國才有國家民族的問題呢。就在我提出反議、指出重新印行歐元的機會渺茫之前，胡里安便喝光他的紅酒，向我們道別了。眞是太棒了。現在我單獨和弗里克的老婆坐在吧台。

「他每次都講同樣的故事！」丹耶拉笑著補充道：「嘿……這保證是我上過最有趣的一堂課！還有蟆特和哺猴德做爲笑料！」

「他們也眞的是蠢蛋啊！」我一邊說，一邊遞給她一支菸。她接過了菸，然後幫我點火。

「謝謝。」這時我決定滿足一下我的好奇心。於是我問她：「還有其他人參加這個課程嗎？」我非常想知道，她會如何處理弗里克這個話題。「嗯……除了你說的那兩個蠢蛋之外，還有一個弗里克。」

「弗里克？」我問她，然後喝了一口酒。「奇怪的名字。他是個什麼樣的人？」

丹耶拉也啜了一小口里歐哈紅酒，而且緊張地彈著那根五秒鐘前才點燃的菸。當然根本沒有菸灰。

「他人很和善！」

「他人很和善？」我難以置信地回問。

「很和善，但是不像你這麼風趣……呃……比較……反正就只是很和善！」

接著她用手指輕點了一下我的鼻子，而且微笑著。不像我這麼風趣？反正就只是很和善？我也覺得弗里克這個人很和善啊，所以我只和他去喝酒，不和他上床。就只是很和善。唉呀！這個女人跟我說什麼鬼話？

「謝謝妳的讚美。可是妳自己也很喜歡笑，所以我要搞笑就很容易。」

丹耶拉點點頭，然後爲了去洗手間一會而道歉。我內心浮起一個念頭——所謂和丹耶拉的戀情，根本是弗里克自己捏造的。可是爲什麼？難道是他被我放蕩的性生活過度刺激而瀕臨崩潰？我是指在我這顆病態的腦袋裡產生的那些性幻想。但是我思索了一會之後，認爲像

弗里克這樣誠實不欺的人，不會隨便編造出這種事來。況且假如弗里克說謊，爲什麼丹耶拉的神情舉止如此不安？不過，今晚的核心問題卻出在我身上：我到底想在這裡搞什麼鬼？坐在我朋友的女友旁？況且我和瑪西雅已經有約了。管它的！半個小時之後，我就離開這裡。或許只是我想太多，才會以爲丹耶拉覺得我很棒、比弗里克風趣。一定是如此。純粹是我憑空想像罷了。西蒙·佩特斯已經昏庸到這個程度了。他竟然相信他自己的謊言。更糟糕的是：他竟然以第三人稱自我思考！

「你沒事吧？」丹耶拉問我，並且把她的紅色PUMA小手提包擺在旁邊的空椅凳上。想必我陷入沉思的樣子，很容易讓人察覺。

「啊！我只是不由自主想到我的工作！」我說。

誰能告訴我我在這裡瞎掰什麼，我就給他一百歐元。「爲什麼？你從事什麼行業？」她問我。就在這一刻，我才全身發燙地想起來，今晚我不是西蒙，而是尼爾斯。如果我現在說出我在德國電信T點銷售服務站工作，根本就是自投羅網，眞相被揭開的速度比捻熄一根菸還要快。我也沒有多餘的時間思考，因爲當別人問起這個問題，通常沒有人會想半天才回答。

所以我說：「房地產仲介！」

我可以一頭撞向玻璃吧台。這是什麼屁話？我憎恨房地產仲介！太遲了。我自己搖身一

變，現在成了房地產仲介。當我說出「房地產仲介」時，還差點和丹耶拉一樣問道：「眞的噢？」我上次掰的職業「屋簷水溝清潔服務」，絕對比房地產仲介好太多了！

「那麼你就是第一個我覺得性感的仲介。」丹耶拉說著，而且觸摸了一下我的手。

咚——————！！

這裡是播報當日重點新聞的第一德國電視台。各位觀眾晚安。在科隆市的一家餐廳內，今晚發生一起因爭風吃醋而以悲劇收場的事件。據目擊者指出，一名見人就砍的德國電信員工，在現場逮到他的女友和一名房地產仲介私會，立即以一隻西班牙白毛豬火腿擊斃這名男子。若干名餐客則遭到飛濺的杏仁碎片打傷。我們將畫面轉至案發現場的本台記者拉拉。拉拉，目前是否已經知道這起犯案的經過？

「是的，維克特先生，在這家西班牙餐廳內有人捅了狗屎大婁子，可是我發誓，這一次不是我惹的禍。西蒙的朋友弗里克，顯然透過玻璃窗看見他的女友和西蒙坐在裡面，所以發了瘋，把店砸了。我估計需要好幾天以及很多捲筒紙巾，才能把這家酒館清理乾淨！畫面轉回攝影棚內！」

當一個長得極其瘦小、身上卻有巨型刺青的女大學生終於把我們的小菜拼盤端上吧台

時，我高興地說了聲「謝謝」。丹耶拉又對著我微笑。然而還不止於此：她凝視我的眼睛時，比一些不調情的女人多出了重要的兩秒鐘。我在悲慘而且槁木死灰的人生中所培養的識人能力，如果不出差錯，那麼坐在我身邊這個短髮小妞，不但有誘人的美色，而且根本就是個賤女人。一夜情的對象若是個賤女人，我通常一點也不在乎。我曾經和賤女人發生一夜情，但至少她是我的賤女人，而不是我朋友的賤女人。假如我在四個禮拜前遇見她就沒有問題。可是現在該怎麼辦？就在和瑪西雅聽演唱會的前一天？就在弗里克幸福洋溢地告訴我，他終於又交了女朋友的兩天之後？我必須趕快吃光我的小菜，然後閃人回家。

爲了迴避更多調情的目光以及房地產方面的問題，我問丹耶拉除了學西班牙語之外，她平常還做些什麼活動。同時我也將兩顆裹著燻肥肉的棗子偷藏在沙拉葉下面。我這樣做，是因爲我從小就必須和我小妹平分東西，如果沒有施出一些伎倆，我鐵定已經餓死了。不巧的是，丹耶拉察覺到我偷藏棗子，於是嗤嗤笑地偷了回去。接著她告訴我，她整天都在復健醫院替病患按摩。她認爲這是蠻不錯的工作，因爲與人接觸的機會相當頻繁。眞是稀奇。就是這個原因，讓我痛恨我的工作。我無法認眞聽她說話，因爲我現在過於緊張。我的目光掃射了酒館四周。弗里克隨時出現的危險並未眞的解除。我緊繃的神經也無法鬆弛下來，因爲我意識到，弗里克有一天也會把丹耶拉介紹給我認識，而且他當然不會說我是房地產仲介人尼爾斯，而是西蒙，德國電信T點服務站的銷售員。然後丹耶拉鐵定不再認爲我比弗里克風

趣。到底為什麼，我偏偏會在今晚來上這一堂荒謬的語言課？這輛公車的顏色是紅色。非常好。而且這個PUMA手提包也是紅色。多謝啊！無論如何，等我吃完了西班牙小菜拼盤，我就開溜，而且要神速。這時，從丹耶拉的手提包內傳出好笑的手機音樂。

「一定是那兩個水泥臉打來的！」我奸笑地說。

「不好意思，我接一下電話！」她說著，而且皺起臉看著手機螢幕，接著便走到外面。

我利用這個機會偷吃掉所有剩下的棗子，又喝光可口的里歐哈紅酒。透過玻璃窗，我看見丹耶拉來來回回走著講電話。她看起來並不愉快。當她又繼續講了五分鐘後，我開始考慮該不該拔腿開溜。可是我不但沒有閃人，還把丹耶拉的紅酒喝光，又拿了一根她的香菸。如果她連自己的男友都不肯承認，至少就應該遭到荷包失血的懲罰。不過話說回來，有什麼大不了的事嗎？我又點了兩杯里歐哈紅酒，然後點了那根竊取來的菸。我應該放鬆心情看待這整件事。畢竟我和丹耶拉都未婚，也不住在修道院裡。到目前為止，我們之間什麼事也沒有發生，接下來也不會擦出火花。我甚至曉得原因：因為我要追的是瑪西雅，不是丹耶拉。又因為丹耶拉是弗里克的女友，至少據說是女友。將近十五分鐘之後，丹耶拉回來了，然後不斷道歉。

「謝謝你等了這麼久！」

「嘿，當然沒問題！」我說。問題可大了。

我放下酒杯，屏住了呼吸。

她喝了一大口里歐哈紅酒，又深深吸了一口氣。

「發生什麼壞事了？」我問。

「沒事，只是……唉……，不提也罷！」

她說得一點也沒錯。畢竟我們才認識幾個小時而已，不該過問她和誰講了電話。我的手機又開始震動了，表示收到簡訊。如果我這時立刻看了這則簡訊，我肯定直接回家了。

☠ ☠ ☠

結果我們甚至還去別的酒館混。至於是什麼原因，我也說不上來。可能是里歐哈紅酒作祟，也可能是因爲換了地方後，被弗里克撞見的危機降低了吧。我們一邊嘻嘻哈哈，一邊踉踉蹌蹌地走進一家窄小的八〇年代波斯酒吧，在這裡贏了遊戲就可以免費喝調酒。我一直很疑惑，在伊朗怎麼會有「八〇年代風」這種東西，但是在我喝了第三杯調酒之後，也就不太在乎了。每個國家都有擁有八〇年代的權利！我不介意伊朗也有。

「人頭還是數字？」阿米爾問我。阿米爾是這家酒館的老闆，他發明了惡名昭彰的調酒遊戲——「人頭還是數字」。遊戲規則很簡單：客人先點一杯調酒，然後說出「人頭」或者

「數字」，接著阿米爾將親自擲出一塊銅板。如果客人說對了，這杯調酒就免費，如果客人輸了，就付原價。阿米爾不太喜歡我，因爲我大多贏了調酒。雖然他總是說這只是玩玩而已，風水總會輪流轉，下一回就換我輸了，可是他暗地裡卻有點擔心在我玩輸之前，我就不再光顧他的酒吧了。這個調酒遊戲最古怪之處，在於這不是阿米爾爲了招攬生意才想出的花招，而是因爲他自己就是個無可救藥的賭徒。

「數字！」我說。丹耶拉嗤嗤地笑，一會兒看著我，一會兒看著阿米爾。

「確定嗎？」阿米爾問我，但是我的信心不受動搖，因爲阿米爾每一次都這樣問。

「非常確定！」我說。於是阿米爾擲出銅板，然後嘆了氣。我贏了一杯可口的草莓瑪格麗特。丹耶拉非常興奮地在她的椅凳上搖來搖去，因爲現在輪到她玩。

「我說……人頭！」

「確定嗎？」阿米爾又問。

「不要！」丹耶拉說：「我要換數字！」

「隨這位女士的心意！」阿米爾說著，便擲出歐元銅板，抓住後翻開來擺在手背上。數字1閃閃發亮地瞪著我們。「我贏了！！！」丹耶拉喊著，高興得不得了，和所有在阿米爾這裡贏了第一杯調酒的客人沒有兩樣。「只要有你在場都會這樣！」阿米爾對我怒吼著，然後端給丹耶拉一杯調酒，便咬牙切齒躲到八〇年代的吧台後面去了。

「再跟你說一次謝謝喔！反正我們身邊也沒錢呢！」我喊著。正在清洗杯子的阿米爾，頭也沒抬就對我舉出他的中指。

接著我舉起我的瑪格麗特碰杯，我問丹耶拉：「爲誰喝？」很愚蠢的問題。因爲她的反問讓我心跳加速。

「該爲我們倆喝嗎？」她微笑著問。

「好吧……那就爲我們倆以及精采的西班牙語課喝吧！」

然後我踩了緊急煞車。我告訴她有關瑪西雅的事，還有我第一次看見她時的那副矬樣，以及我在芬蘭浴池看到她裸身赤體，最後自己還全身虛脫昏厥。我還告訴她，我愛她到無法自拔的地步，她在我的腦海揮之不去，而且我的希望全在我給她的那一張入場券上，因爲明天我將和她一起去聽「瘋狂四人組」的演唱會，爲此我現在已經興奮得要命。我從丹耶拉的反應看出這不是她想聽的事。她顯得心不在焉，而且還用她的吸管捅著冰塊。在聽完我的獨白之後，她所說的第一句話是：「你愛上一個你根本不認識的女人？」

換成我不想聽。

「根本不認識？呃……我稍微認識她！」我辯解著。

我啜了一小口調酒，雖然杯子裡早就只剩冰水。桌上布滿了一堆撕破的杯墊。丹耶拉的傑作。

「妳呢?」我把矛頭轉向她，以便化解僵硬的氣氛，或許甚至還能像朋友一樣談談心。

「妳的感情生活如何？」

「我的感情生活?」她問。

「對!妳的感情生活。」我說。

「和你半斤八兩!」她說。

「怎麼會?」

「怎麼不會……我愛上了一個我根本不認識的男人!」

「這很棒啊!講來聽聽!進展得好不好?」

「很爛!」

「怎麼會這樣?」

「因爲那個男人就是你!」

我只看見她淚眼盈眶，接著她便轉過身去穿上她的夾克，然後拿著她的PUMA手提包奪門而出。

☠ ☠ ☠

我呆坐在那裡長達一個鐘頭，沒有點調酒，也沒有抽菸，就只是坐在那裡。阿米爾走過來兩、三次，問我是否一切還好，因爲如果我沒事，我們應該再玩一次調酒遊戲。可是事情不妙。我不要玩調酒遊戲，也不想說話。老實說，我甚至也不想呼吸。

我只要呆呆坐在這裡，瞪著棕色的磁磚地板。我要怎麼做，才能使這個磁磚地板轟隆作響地裂開，把我吸進一個比較安全、溫暖而且完全沒有女人的世界！不知何時，我最後還是有氣無力地套上我的夾克，踏出了酒館，走進十一月的寒夜。我從袋子裡掏出手機，看見我之前收到卻尚未閱讀的簡訊。

你到哪裡去了？我和丹耶拉吵架了。請和我聯絡。弗里克。

一輛空盪無人、亮著燈光的市公車，轟隆作響地從我旁邊駛過。這輛公車的顏色是紅色。

15 鮮紅色的井底之蛙

這是我頭一遭在星期六上健身房。說得更具體一點：我正在一台荒謬的越野滑雪機上天旋地轉地滑著。健身中心負責人沙夏把這項運動寫在我的健身計畫表上，想必純粹是出於憤恨，因爲我打死也不肯變成同性戀。時間將近十一點了，通常這時候我必須和弗里克在店裡面站到腳發瘆。今天當然不行。今天是重要的瑪西雅之日。不過，至少我的緊張在體內所引爆的情緒騷動，掩飾了我對丹耶拉事件的良心不安。

我的脈搏已經狂跳至每分鐘一百五十八下。我之所以知道這麼清楚，是因爲我胸前的一片塑膠布，將我的心跳次數直接顯示在這台愚蠢的慢跑機螢幕上。自從我在階梯有氧課上昏厥之後，健身中心便規定我必須戴著脈搏測量器才准運動。

這時候，拉拉正在我家裡把每個角落打掃得亮晶晶。一切當然經過刻意的安排：潔淨舒適的床單被套、乾淨的浴室、指甲剪和牙刷置於不同的杯子內。當然，我還直接在床頭放了十個高性能保險套。

健身房內，除了我半個人影都沒有。在慢跑機的顯示幕上閃爍著一顆紅心，下方則不斷更新我的心跳次數：178。一百七十八！很不幸，從健身中心的落地窗往外望去，便是一條購物商店街。兩個滿臉青春痘的青春期小子緊貼著玻璃、壓扁著鼻子往健身房內瞧。他們或許想看看，在越野滑雪機上的男同志長什麼樣子。當我還在思索如何以手語向這兩個小子解釋清楚我不是男同志時，他們就已經不見人影了。在顯示幕上，由許多黃色光點組成的「緩和運動」四字，正對我閃爍著。謝天謝地！根據沙夏的健身計畫表，我現在可以做舉重訓練了。

我無精打采地走向一個巨大沉重、以堅鋼爲材質的舉重椅，名爲腹肌鍛鍊機。我唉聲嘆氣強迫自己登上寶座，並以鋼釘固定住舉重槓片。話說回來，稱爲舉重槓片或許有些離譜，因爲我的器材上只裝著兩片標著二．五和五．○的鋼片而已。自從我上階梯有氧而昏厥的插曲發生之後，沒有人相信我能夠進行舉重練習。我的目光游移至健身房末端的大鐘上。十一點整。我從來不曾這麼早在這裡。十一點。這表示我將在整整七個鐘頭之後和瑪西雅碰面。僅僅七個鐘頭之後！

我將上半身頂住裹了泡棉的橫槓，然後向前彎。五公斤舉起來，並沒有事先所擔心的那麼沉重。我該怎麼和瑪西雅相處呢？我一邊舉重，一邊數著次數。一。我將走到她面前，臉上帶著微笑。她則會說：「西蒙，很高興見到你！」二。我將對她說，見到她，我更高興。

三。雖然是事實，或許還是別這樣說比較好。四！她甚至可能會親一下我的臉頰嗎？五！到時候我會比現在更緊張，因爲她可能六！出現時明豔動人，讓我只能無力地站在原地目瞪口呆，說不出半個字，而且口水還流在我那件印著霸子．辛普森的毛衣上，傻里傻氣極了。七！胡說八道！我最後總會靈機一動想出點子來。好吧，我就和瑪西雅進入會場，然後我出錢請喝啤酒。這一點很重要，八！接著我們便夾雜在人群裡，演唱會也隨即展開，九！狗屎，現在我感到愈來愈吃力了，稍後，「瘋狂四人組」就必須演唱我們倆最心愛的那首他媽的〈在海邊的那天〉，在此之前，十……十……！我們一定已經喝了兩、三杯啤酒，所以當他們唱著〈在海邊的那天〉時，他媽的十一！我就比較容易擄獲瑪西雅的芳心，因爲她將變得多愁善感，需要愛情的滋潤，況且她也已經喝了一些啤酒。在唱過第一遍的副歌之後，我將從背後攬著她的腰，親吻她的頸子。十……十……十……二……二……二……她將不會抗拒，她將轉過身來……我將凝視著她濕潤的雙眼，十……十……十……三……三……三……現在可眞是痛死我了，接下來根本不用說也知道，我們的嘴唇便碰在一起……

我沒有力氣了！

這兩個薄薄的舉重槓片，已逐漸變成科隆大教堂的尺寸了。

「只要你腦筋裡想著做愛這件事，就輕而易舉啦！」左邊響起熟悉的尖細聲音。

我使勁轉過頭，看到沒有脖子的金剛芭比男同志卜派，正沉陷在我左邊的舉重椅內，他

身上穿著紅白相間的茵斯布魯克市懷舊上衣，臉上露出幸災樂禍的微笑。

「想著做愛嗎？好，我試試！」

「還有，別忘了呼吸！」他尖聲細語地補充著。於是我又全神貫注於我面前的橫槓，並且調整上半身的姿勢。做愛！瑪西雅。瑪西雅一絲不掛。在我身邊。不，在我上面更好。在床上！她用舌頭舔著嘴唇四周，十……十……十……四……四……四……，噢，而且她欲火燃燒，因爲……因爲……無所謂啦，反正她就是撩撥男人欲火的尤物。她握著我的下體……停……我們又不是在兒童節目……她握著我的陰莖……十……十……十……五……五……五……拜託啊，這聽起來簡直就像低級色情片，管它的……她緊緊握住我的陰莖，並且在她的大腿上搓揉著，十……十……十……六……六……六……，她對我說這樣的話：西蒙，我要，我要你讓我完完全全的滿足……十……十……十……七……七……七，爲什麼我偏偏現在想著達恩福廚具？不管啦……然後我慢慢地滑進，我感覺到自己在她的身體內，越來越深，我感覺到十……十……十……八……八……八……八……八……八……我馬上達到高潮。

「嗚哇啊啊啊啊！」

我讓橫槓往上升，整個人疲累地癱在一起。

「不錯嘛！」卜派發現了。從頭到尾，他顯然一直觀察我。

「來一根菸？」

「等一下！」我喘息著說。天花板仍然微微旋轉著。當我察覺到自己並沒有眞的射精，只是運動褲裡的小弟弟硬挺到令人刮目相看時，我著實鬆了一口氣。在男同志市民為主的健身中心裡，我這樣實在是太過吊兒郎當。可惜卜派也注意到我褲子裡的異樣。他一邊在橫槓上固定住一千八百萬公斤重的槓片，一邊帶著揶揄的口吻問我：

「喂，西蒙，你剛剛想著誰啊？誰是這個幸福的男人啊？」

「幸福的女人！」我糾正他。「再怎麼說，你們永遠也不了解！」

我眞不曉得，我訓練體能時和誰做愛，以便多做幾次舉重，干一個沒有脖子的金剛芭比男同志什麼事。但因爲他是一個善良的金剛芭比，所以我還是告訴他了。

「她是個絕世美女……我今晚和她有約！」

「所以你想在約會之前鍛鍊出一些肌肉嗎？」

「呃……對！」

雖然很糗，卻是眞的。因爲我今天早晨刷牙時，又突然產生嫌棄自己瘦巴巴的內心情結。雖然我清楚得很，和瑪西雅約會之前的幾個小時，才臨時抱佛腳上健身房，不是沒用，是根本就沒用，我卻還是硬著頭皮照試。

「根本沒用，對不對？」我問他。

「嗯……多少總是有的……肌肉會稍微變硬，另外……你還可以做的是……就是……」

就在他說著話時，他也已經開始舉重了。不可思議。這個傢伙將蝴蝶健身器的兩根棒桿拉在一起，彷彿輕如紙片，但是左右兩邊加起來簡直有兩幢房子那麼重。

「你還可以做的是少喝飲料。」

「少喝飲料？為什麼？」

「當然就是因為肌肉比較容易跑出來。你從來沒看過歐洲體育台的肌肉健美秀嗎？」

「沒有。我比較喜歡看九號直播台的看圖挑錯贏獎金！」

「無論如何，健美選手在比賽之前完全不喝飲料，讓肌肉堅硬有型。這招眞的有用！」

我感謝他對我傳授秘訣，然後把我的水壺扔到一邊。

「還有，要一直想著做愛的美事！」卜派又對我高喊。謝天謝地！幸好健身房內只有我們兩個人。我看了一下我的健身計畫表，然後坐在背肌訓練機上。依照計畫表，我應該舉起三十公斤。我把重量調整為五十公斤，接著又虛擬著和瑪西雅巫山雲雨的景象，最後總共舉了三回合，每一回合共十五次。之後我使用了腿部推蹬機，這次我換了和瑪西雅做愛的姿勢，成功鍛鍊了四回合。使用腰部訓練機時，瑪西雅則坐在我身上。在胸肌鍛鍊機上，我們採取典型的男上女下做愛姿勢。一個鐘頭之後，我踉踉蹌蹌拖著腳步走進更衣室，彷彿走在生雞蛋上面似的。到此為止，我在腦海裡和瑪西雅已經做愛超過兩百次了。

我全身虛脫無力地把運動手提袋扔進車內，在手機上找出寶拉的號碼。儘管我在運動以及性愛方面交出最亮麗的成績單，我仍然感受到內心的緊張正持續擴大。離「瘋狂四人組」演唱會只剩下五小時又二十分。我緊張的程度，簡直就像自己將登台演出。再加上我口乾舌燥得受不了！但是……想要肌肉，就必須被折磨。況且，在今晚的午夜時分，當瑪西雅扯去我身上的衣服時，或許會發現我今天苦練後變硬的一、兩條肌肉紋理，於是火辣辣地把我撲倒在彈簧床上，接著……

「西……蒙！」

寶拉的聲音從手機裡咆哮而出。糟糕！我完全忘了剛剛撥了她的號碼。

「嗨！寶拉！」

「噢，你終於打來了！你這個沒天良的笨蛋！」她對我吼著。

「嘿，寶拉，妳沒事吧？」

「什麼沒事！你昨天去哪裡了，你這個呆子？我們在你家前面整整等了一個鐘頭！我氣炸了。菲爾也是。弗里克就更別說了！」

狗屎。我打電話之前，至少也應該先想出一個藉口來道歉。幸好寶拉正火冒三丈，所以反正我也插不上嘴。

「我打了四次電話給你，你這個混球！你至少也應該接一下電話。」她繼續破口大罵。這時我正離開停車場，進入車陣之中。她盡量發脾氣沒關係。因爲我眞的不太會一邊左轉、一邊找藉口讓自己安全脫身。

「西蒙，我們這樣做並非想惹你生氣，我們擔心你，你懂不懂？」是的，我懂。這句話我每天聽了十遍。貓頭鷹、寶拉、弗里克都對我這樣說。在一家牛排餐廳前，我看見一個穿著綠色夾克、上了年紀的男子，他舉著一本《瞭望塔》雜誌。諷刺的是，他看起來卻好像睡著了。「西蒙，如果你不在乎我們，你就應該說一聲。那麼就再也不會有人站在你家門前。你有沒有在聽我說話？」所有人也都這樣問我。當我經過魯道夫廣場時，我試著瞄一下環保資訊大看板上的臭氧指數。可是就在關鍵時刻，一輛家具貨車擋在我和看板之間，所以我無法得知科隆是否已經中毒了。

「有啊，我正在聽！」

因爲我現在正好不必向左轉，所以我決定至少告訴寶拉一部分事實。

「我……覺得抱歉。我應該知會你們一聲，可是我眞的不想聽『西蒙你到底怎麼搞的』這種狗屎！」

甚至隔著電話，我都還可以聽見寶拉用她的煤油打火機點菸。

「好吧……」

我不知道這個「好吧」代表什麼意思。可能是瑞士式的「好吧」，不具任何評判與意見。天曉得。是誰發明這種說法？瑞士人！

「你現在人在哪裡？」她問我。

「在美珍尼希麵包店和米勒博士情趣用品店之間！」

「我就在附近！」

「妳在情趣用品店裡嗎？」

「不是啦，在名譽街。有沒有興致到『城裡四隻狗』喝一點咖啡啊？」

輪到我說瑞士人的「好吧」。至少在今晚約會之前，跟寶拉惡補一些談情說愛的秘訣，對我也有益無害。我把手機丟到駕駛座旁的座椅上，然後以蝸牛般的車速潛進我住家的那條街道。望眼所及，沒有一處停車空位。這還用說，今天是星期六，我有什麼好奢望的。如果我夠倒楣，我將在這裡繞來繞去找車位，一直找到演唱會會場，而且在「瘋狂四人組」演唱第一首歌曲之前，我便因爲精神崩潰而翹辮子。科隆市政府對待市民的態度拙劣無比！我既然住在城中區，有助於都市的開發與繁榮，政府至少也要擔保我一個車位。反倒是住在郊區、在田裡挖蘿蔔的鄉巴佬，喜歡瞎拚喜歡得不得了，非得在星期六把他們沾滿泥巴的福斯

輛車 Passat 停在名牌精品店前，而不停在農地旁！我最好還是不要激動起來。結果奇蹟發生了，我在「城裡四隻狗」咖啡店後方的數百公尺處，發現了第二排有半個停車位。我往前又往後挪移調整，最後車子停妥的樣子，只不過是讓一輛掛著荷蘭車牌的 BMW 無法離開而已。爲了避免複雜的糾紛發生，基本上我只會堵住荷蘭人的車。畢竟荷蘭人發怒起來講的話，根本沒有人聽得懂。而且當警察終於搞清楚發生什麼事時，我早就開著我的車逃之夭夭，經過所有的鬱金香田了。

透過玻璃窗，我一眼就認出了寶拉。其實也沒什麼特別，因爲「城裡四隻狗」就只用玻璃建成。一家很糟糕的店，因爲顧客主要是油頭滑臉的年輕律師，還有妄想當肥皀劇明星的暴食消瘦症一族。穿著蛋殼色毛衣的寶拉，正坐在這兩種顧客層之間，翻閱著一本愚蠢的女性雜誌。

「嘿！」我狡猾地笑著說，然後窩到白色的設計師沙發裡。寶拉應該一眼就看出我好端端的，一點事都沒有。

「嘿！」寶拉說著，可是聽起來並沒有我的「嘿」那麼開朗。不如說比較像瑞士人說的「嘿」。

「昨天的事，我再說一次對不起！」我一邊說，一邊努力裝出有罪惡感的表情。

「我們昨天眞的很擔心你！」

是啊。我現在也已經知道了！她已經說第五遍了。

「我可以抽妳一根菸嗎？」

「不可以！」

「謝謝。」

寶拉幫我點火之後，把煤油打火機放回她的香菸盒上。一個油頭粉面、一臉土耳其伊斯坦堡味的男服務生走到我們桌前，然後就只說了：「點什麼？」

寶拉點了一杯那堤瑪奇朵。我什麼都沒有點。

「你不想喝東西嗎？」寶拉驚訝地問我。

「不想，我什麼都不想喝！有問題嗎？」

「沒有啦，因爲你從來沒有不喝東西啊！」

「沒錯。而且今天我就是滴水也不沾！現在我們要爲什麼事吵架？吵我不想喝東西，還是吵昨晚的事？」

「你在兇什麼啊？」

「我哪有兇？」

寶拉搖著頭，又把香菸盒上的煤油打火機移開。

「你和弗里克講過話了沒？在過去的二十四小時之內？」

「我剛剛正想打電話給他。怎麼了？」

「我剛剛才和他講完電話。情況很不妙。好像和丹耶拉講了整夜的電話。」狗屎。她說這話，好像我和整件事脫不了關連似的。

「那又怎樣？妳知道細節了嗎？」

「他和丹耶拉發生爭執。昨晚我們在你家前面等你的時候，他們就已經在電話裡吵架了。我也只知道這些。弗里克什麼都沒提。或許你們倆找個時間一起去喝個啤酒吧。」好主意。就這麼辦。可是最好等一個禮拜之後。

「我等一下打電話給他！」

才怪。

「他會很高興。」

鐵定。我想起來，我來這家咖啡屋的目的，並不是讓人炮轟我，而是因爲我還需要一、兩個妙招。

「親愛的寶拉……」我噘著嘴、瞪著大眼睛說。

「你想幹嘛？」

「待會在演唱會上，我要怎麼和瑪西雅相處？」寶拉的表情頓時開朗起來。

「噢，天啊！你的約會！就是今天耶！」

「只剩不到六個鐘頭呢！妳有沒有什麼訣竅，教教可憐無助的西蒙吧。」

寶拉聳聳肩，把菸圈吐向玻璃。

「可憐無助的西蒙！沒錯！我有時候自問，我還要跟你說什麼才好，你也已經快三十歲了！」

「或許我是快三十歲的人，可是畢竟不是女人！」

伊斯坦堡先生端來了寶拉的咖啡，還不忘用「您真的什麼都不想喝」的目光氣我。我揮手拒絕。天啊！我好渴。

「你對她還是這麼癡心？」寶拉問我。

「還是這麼癡心！」我點頭。

「那麼就別立刻讓她感覺到。不要太在意今天晚上，至少也要裝出這個樣子！」這招眞是好到極點！四十八個小時以來，我沒有一秒鐘不想著今晚的約會，她卻教我不必放在心上。

「然後呢？」

「暫時先別讚美她的外貌。她可能聽到膩了。讚美她的其他地方！」

我拿起一小包糖精搖來搖去。

「爲什麼要這樣？她長得本來就很漂亮！」

「這就是重點！所以她總是聽到這樣的恭維，並不感到特別驚喜。」

「厲害！妳眞是精明！」

「如果你非要恭維她不可，就一定要換句話說。」

我思索著。

「也就是……譬如這樣說……小妞，我觀察了妳打奶泡的樣子，眞的沒有人比妳行！」

「就是這樣沒錯……豬頭！你明明知道。告訴她，她很風趣或很聰慧！」

我撕開了一包糖精，倒出一點點在桌上。這糖粉非常細緻，簡直就像古柯鹼。眞有趣！

「我應該說她很聰慧？」

「這只是舉例！當然只能在她說了有道理的話時誇讚。你幹嘛，你想要我嗎？」寶拉捻熄了菸，喝了第一口那堤。

「當然不敢！」我回答著，同時用杯墊把古柯鹼糖粉撥成一條直線。

「唉，西蒙，你知道嗎？保持自我本色就對了！」

「噢，那就是當大混蛋囉！」

這時候寶拉終於笑了。我從皮夾掏出一張五歐元紙鈔，捲成筒狀。寶拉興致勃勃地繼續碎碎念。

「把矛頭轉過來對著她！必須證明自己很棒的不是你，而是她！你要仔細看清楚瑪西

雅，不要本末倒置！」

我瞪著天花板。天花板和寶拉的毛衣同一個顏色。這就對了！她必須證明自己不同凡響，而不是我！我喜歡這個想法。這個想法將讓我順利撐過今晚。寶拉得意地奸笑著，因爲她看出了這項建議深得我心。

「是她必須對你說，她配得上像你這樣出色的男人！」

沒錯！她必須對我這麼說。無庸置疑。爲什麼呢？因爲我是一個出色的男人！哈！我相信，我現在終於懂了。是眞的吧？

「寶拉，我其實是個很棒的男人，是吧？」

「當然不是，但是假如你今晚自以爲很棒，就有功效。」

我把歐元紙鈔捲筒含在嘴裡，然後將糖粉往寶拉的毛衣吹去。

「喂……你這個豬頭！這是新的毛衣耶！」

「對不起，我眞的沒想到糖粉會撒得這麼均勻！」

我把身體往後仰，注視寶拉拍打著她的蛋殼色毛衣。我考慮了一下該不該向她道歉，結果還是省去了。反之，我彎身向她說：「好，我做一下總結：我千萬不可恭維瑪西雅……嘿，妳看起來好漂亮諸如此類的話，而且要裝出有些冷漠的樣子。這樣做，是因爲我是傑出的男人，停，不對，因爲我自認是傑出的男人，也因爲她必須證明她配得上我，而不是我去

證明我配得上她！」

「可以這麼說！」

「這下可好了，看來今晚的約會將很轟動。」

「如果順利，傳個簡訊給我吧！」

「怎麼樣的順利？親親還是上床？」

「拜託！坐在你面前的是誰啊？」

「好吧，那就說上床！我會傳簡訊給妳。」

☠ ☠ ☠

寶拉結了帳，我們便離開了咖啡屋。她給我一個擁抱，祝福我今晚順心如意。接著我就回家了。我到家之後，便在我所有的音樂光碟片裡，挑選了最猛的電子舞曲播放。我坐在我的單身沙發上，連續抽了三根菸。拉拉把家裡整理得一乾二淨，到處閃閃發亮。她之所以這麼用心打掃，一定是因爲我這個人很棒！

我還一直沉醉在「是我考驗瑪西雅，不是她考驗我」的想法之中。萬一她回拒我的邀請呢？我屏住了呼吸一會，不久便又放鬆地吐氣出來，自鳴得意的笑著。她不會拒絕我，因

爲：

我是個出色的男人！

我的胃又在瞬間痙攣起來。

她根本不可能回拒我的邀請，因爲她沒有我的電話號碼！

這是很遜，還是很酷？

很酷。我，西蒙·佩特斯，讓科隆市最美麗的女人獨自站在雨中，沒有我的電話號碼！

這是老闆的作風！

我是個出色的男人！

可是我搞什麼鬼，竟然沒留給她電話號碼？因爲這是老闆的作風？另外：我有她的電話號碼嗎？沒有！還有，因爲我心裡正考量著今晚的約會，而且顯然頭一次這麼仔細，所以純粹從安排事情的角度來看，我問：我到底是幾點鐘和她碰面？

我是個沒常識的井底之蛙！

我從沙發上站起來，一拳打向我的CD音響換片箱。電子音樂立刻停止。恭喜，我竟然還把東西弄壞了。屋外，我隱約聽見瞎拚路人七嘴八舌的吵雜聲。隔壁某棟公寓裡，鑽孔機的噪音直逼而來。接著我又倒入沙發裡，把膝蓋拉往下巴，絞盡腦汁地思考著。

我幾點鐘和瑪西雅碰面？

我咬著牙，閉起眼睛。口乾舌燥！我需要喝一點東西！當我想起來，根據卜派的肌肉鍛鍊計畫，我根本不准喝飲料時，我已經站在冰箱前。我咕噥著把德國土產的可樂放回去。

我幾點鐘和瑪西雅碰面？我們說過在入口處見。可惜只說了地方，沒說時間。我搞什麼鬼啊！

我感覺到一股惡魔般的憤怒，正在我內心洶湧澎湃。這股憤怒，正在我內心節節上升，我覺得自己好似那些愚蠢的卡通人物，氣得滿臉通紅，直到怒火從耳朵冒出爲止。我幾乎無法再正常呼吸，渾身上下沒有一處不抽搐緊繃。我在屋裡以鋸尺狀路線走來走去。怎麼會有人這麼白痴！我和夢中情人約會，卻不知道約在什麼時候！如果我大聲吼叫，鐵定會讓我想起來吧！

「啊啊啊啊啊啊啊啊啊啊啊啊啊啊啊啊啊啊啊啊啊啊啊啊啊啊！！！」

鑽孔機的噪音停止了。而我也覺得舒暢不少。於是我又吼叫了一遍，可是卻無法達到第一次吶喊後的解脫感。我小心翼翼、使盡力氣爬上沙發，彷彿我坐的是一隻乾癟無力的古巴駱駝，因爲承受不起我的負荷而隨時解體似的。我必須保持冷靜。我必須重新回想那天在星巴克的情形。我當然也可以打電話到星巴克！可是我該說什麼好呢？

「嘿……妳知道嗎……我上次太過緊張，所以完全記不得了。妳一定曉得這種感覺吧？不曉得喔？當然當然！」

電話，我哪裡都不打。我火速奔向廚房的留言板，扯下演唱會門票：晚上七點半開場。好吧……保持冷靜。如果演唱會門票上印著七點半，那麼相約前往的人通常在什麼時候碰頭？七點？六點半？八點？在「瘋狂四人組」正式出場之前，還會有別的演唱團體拉開序幕嗎？譬如「瘋狂三人組」？就在我一邊苦思、一邊繞著單身沙發兜第十圈時，我終於一清二楚，我除了從六點開始等瑪西雅之外，別無其他辦法了。在入口處。我的情緒稍微緩和了下來。剛才受到驚嚇的鄰居也已經恢復神智，繼續鑽孔。

現在是兩點半。距離我必須出門的時間，只剩下整整三個鐘頭。為了一個狗屎演唱會，我竟然這麼激動！我已經二十九歲了，反應卻和十四歲的青春期少年沒有兩樣！我眞想乾脆不去算了！我心頭驚了一下。我怎麼不早一點想到？這就對了！我乾脆就別去了！但是我該穿什麼好呢？乾脆不要去，這是老闆作風！這樣一來，星期一我就可以晃到星巴克，問她喜不喜歡這場演唱會。還有比這更酷的妙計嗎？白襯衫配咖啡色皮夾克，或者配連身帽外套比較好？乾脆就別去了。還有，穿哪一雙鞋子？鞋子非常重要。便鞋還是皮鞋？我的鬍子呢？應該再刮一次嗎？我看起來到底怎麼樣？

浴室的梳妝鏡，很明顯地照出我有三天沒刮鬍子！太完美了！這種鬍子正是不去演唱會的最佳理由。這種鬍子代表著留在家過個愜意的夜晚，以半打的貝克啤酒添加情趣，佐以一個美味的冷凍披薩。等一等：如果三天沒刮鬍子最好就留在家裡，那麼反過來說，難道三

天沒刮鬍子最好就別去演唱會嗎？我已經下了決定嗎？其實並不是我，而是我的鬍子替我決定該不該和夢中情人見面？這怎麼得了！因爲一切仍是未知數，所以我一手轉開熱水水龍頭，另一手抓向一瓶棕欖刮鬍液。水流著，而且溫度逐漸升高。我坐在浴缸邊緣，拿著刮鬍液擠壓瓶，彷彿爲了廣告刮鬍液而拍照。我現在是個出色的男人，還是沒常識的井底之蛙？一隻三天沒刮鬍子的井底之蛙？或者是一個剛刮了鬍子的出色男人？這時水龍頭流出滾燙的熱水。我的刮鬍液擠壓瓶上印著「敏感肌膚適用」。這是什麼意思呢？表示刮鬍液不會傷害皮膚，因爲它的性質很敏感嗎？有沒有「自信型肌膚適用」的刮鬍液呢？或者「三十歲以上夜郎自大型肌膚適用」的刮鬍液？夠了！整整三十秒之後，我將決定去不去演唱會。三十，二九，二八，二七……等一等！如果我倒數計時，就根本無法思考！如果我無法思考，我哪有辦法在這麼短的時間內，下這麼重要的決定呢？我抓起擺在浴室裡的藍色塑膠鐘。上面有秒針。因爲浴室裡熱氣騰騰，我必須把這個塑膠鐘直接拿在鼻子前，否則根本看不清楚。只要秒針走到下方的六，我就決定了！預備，開始！思緒有如馬不停蹄。

好吧……如果我不去……我就無法和瑪西雅發展下一步，而且平白浪費了七十多塊歐元。如果我去，我確實就有機會和科隆市最性感的女人交往。況且我很有希望，因爲……因爲我不是三天沒刮鬍子的井底之蛙，而是……

秒針走到了六。

而是……一個剛刮了鬍子的出色男人！！！

我把頭浸在水裡……

「啊啊啊啊啊啊啊啊啊啊啊啊啊啊啊啊啊啊啊啊啊！！！」

……然後馬上又揚起頭來。我的臉成了一片火海！驚恐之際，我轉開冷水水龍頭，整個人繞著圈子旋轉，因爲我不知道在水溫變冷之前我該怎麼辦。我用手搥著洗手台，彷彿這樣會幫助降溫似的。接著我把好幾公升的冰水潑在受虐的臉上。五分鐘後，我斗膽照了鏡子。我看起來就像在加勒比海曬了三個禮拜陽光的愛爾蘭卡車司機。我輕輕跌坐在浴缸邊緣。我是一隻三天沒刮鬍子的鮮紅色井底之蛙。事實就擺在眼前：我現在的模樣，好比拙劣的模仿搞笑演員，模仿著因車禍而顏面燒傷的前奧地利賽車選手尼基·勞達，所以我根本不可能擄獲絕世美女的芳心。事實就是，不必再瞪著鏡子看，我也曉得自己已經失去機會了。說也奇怪，也正因爲這個緣故，我感到輕鬆無比。我甚至可以笑得出來！既然我失去了機會，也就不需恐懼了！既然我不再恐懼，去演唱會又何妨！我並不是任何一隻三天沒刮鬍子的鮮紅色井底之蛙。我現在是一隻下了決定的鮮紅色井底之蛙！因爲我這隻鮮紅色的井底之蛙，將和全市最美麗的女人一起聽演唱會！在此之前，我得先去一趟藥局！

16 海邊的那一夜

我擦掉臉上剩餘的燙傷藥膏，迅速穿上一件白襯衫。這件襯衫穿在我身上本來非常好看，可是因爲潔白無瑕的質料，和我這個令人毛骨悚然的紅色番茄臉形成強烈對比，所以我把襯衫掛回了衣櫥，抓了一件顏色像狗糞的棕色PUMA運動夾克。在這期間，我的心情甚至逐漸轉好。我還在頭上抹了一些髮膠，這邊拉一撮、那邊拉一撮的造著型，然後在鏡子裡作最後一次的自我鑑定。令人驚訝的是，我酷似電影《終極警探》演到第一百一十二分鐘時的布魯斯威利。我應該在衣服上染一點血跡，撕破幾個洞，那麼我至少可以宣稱，我剛才在科隆大教堂阻止了一場大規模的恐怖攻擊。我用食指壓一下臉頰。皮膚起先呈白色，接著又變回紅色。我望著時鐘。如果我搭五點二十六分的地下鐵，我將在六點準時抵達演唱會會場。比六點更早簡直是不可能了。

準備好了！

我戲劇性地用力把門關上，彷彿想告訴全世界：就這麼決定了！而且已經沒有回頭

之路。等著電梯時，我隨便亂哼著一些土耳其歌曲，那是我前幾天從一輛車身超低的賓士SLK改裝敞篷跑車裡聽見的。電梯門開了，載著我往下五個樓層。我的寓所蓋得太高了。當我走出公寓大門迎向冷空氣時，天色已經暗了。就在我拉整我的襯衫衣領，準備走向地下鐵站的時候，一種非常不祥的預感油然而生。一種非常非常糟糕、非常非常悽慘的預感。於是我把手伸進長褲的左口袋。沒有東西。我又敲著右邊的口袋：也沒有東西。隨著狂跳的脈搏，我搜索著身上衣服所有的口袋，然而陰沉的預感果然靈驗了。我是一隻忘了帶鑰匙的鮮紅色井底之蛙！

我無力地用頭撞著公寓牆壁。我竟然把鑰匙留在家裡！我這個超級大白痴，把自己反鎖在外面！偏偏挑在這個時候！我必須打個電話給拉拉！除了我自己之外，拉拉是唯一有我家鑰匙的人！我一鼓作氣轉過身來，而且從我的褲袋裡掏出手機。

「親愛的上帝，拜託讓拉拉接電話！」我一邊找著她的號碼，一邊祈求著。今天上帝所收到的禱告信當中，肯定我的這一封最愚蠢。電話撥接聲響了一次、兩次、三次……然後我幾乎喜極而泣，因爲我聽到拉拉的聲音。

「喂？」

令人驚訝！只說這麼短一個字，竟也能帶著克羅埃西亞腔。

「拉拉！妳接起電話，眞是太棒了！」

「手機響，我就接啊！沒什麼大不了！我在你家裡捅了狗屎妻子嗎？」她擔心地問。

「沒有，一點也沒有！」

我欣喜若狂地跳了一步到旁邊，差點撞倒一個上了年紀的先生。「你……！」他嘀嘀咕咕的指著我。我覺得他有點面熟。

「拉拉，我把自己反鎖在外面了，我需要那把備份鑰匙！」我吞吞吐吐講著電話。「我可以和妳碰面嗎？也就是……呃……現在可以嗎？」

我可以！由於拉拉就住在萊茵河對岸，離演唱會會場不遠，所以我們約好就在那裡交鑰匙。我深深吸了一口氣，把自己抖了一抖，便從容不迫地走向魯道夫廣場，因爲我將在那裡搭地下鐵。我已經錯過了五點二十六分的班次，可是我不在乎。

在車廂裡的乘客統統盯著我看，彷彿我一口氣得了禽流感、蝦仁多娜堡毒疹，還有嚴重急性呼吸道症候群。一個瘦巴巴的老婦人，長得像乾掉的梅子，自言自語咒罵著世界的敗壞與淪落。所有的人都聽她碎碎念，可是沒有人望著她。因爲大家目不轉睛地看著我。我至少沒張口罵人。半個小時之後，我和其他一百多個演唱會歌迷一起下了車，朝著演唱會會場的方向走。我當下決定，走路的樣子要比平常更酷，畢竟我現在是嘻哈饒舌音樂的歌迷。

Yo! Yo! Yo! 你！你！你！**Check Dis Out.** 注意聽著囉。**MC** 佩特斯在現場聽音樂！

從遠處我就看見了拉拉。她穿著黑色布料的長褲和棕色厚大衣，和那些頭戴棒球帽、身穿運動夾克、在會場入口處抽菸叫鬧的「瘋狂四人組」歌迷相比之下，顯得有些格格不入。

「西蒙！」她容光煥發地向我打招呼。可是當我到了她面前時，她喜悅的神色頓時消失。

「你的臉怎麼了？」

眞可惜。我剛剛才把我的臉忘了一分鐘左右。

「是慢性神經性濕疹！」我撒謊。

「你的臉很紅，你知道嗎？」

是啊，我知道。畢竟在今天下午，我自己把臉浸在九十度的熱水中。拉拉察覺到我的惱火，於是笑著從她的手提包內掏出我家鑰匙。

「我帶了鑰匙來！」

「太棒了！」

我擁抱了拉拉。我突然覺得良心不安，只因爲我蠢到沒帶鑰匙就離開家門，所以讓她特地跑一趟。我知道她並沒有期待任何回報，可是我還是很想酬謝她，然而給她錢似乎又有些

荒謬。因此我問她，我可否請她喝一杯啤酒。

「西蒙，謝謝你的好意，可是我想我還是馬上回家好了！」

「確定？」

「嗯！」

可是拉拉並沒有離開，反而感興趣地四處觀望。或許這是克羅埃西亞的古老傳統：在離開之前先環顧一下周遭。我的目光也掃視著四周，期待能發現瑪西雅的身影。拉拉突然拉了一下我的夾克。

「西蒙，什麼是『瘋狂四人組』？」

就在此刻，我才想起拉拉很喜愛音樂。她自己總是說，只要旋律輕快，不管哪一種音樂都好。但是她會喜歡「瘋狂四人組」嗎？以她過了四十的年齡？一個浪居祖國之外的克羅埃西亞人？不、不，不可能！

「這是……呃……德國的嘻哈樂團！」我盡可能平淡地解釋，而且「嘻哈」一詞，還被我說得像是慢性神經性濕疹中特別嚴重的類型。瑪西雅仍然沒有出現。

「啊……瘋狂四人組。我在燙衣服時有聽過他們的歌。在你的CD機器裡對不對？」

對！瘋狂四人組在我的「CD機器」裡。假如我事先知道拉拉會操作我的「機器」，我肯定早就把瘋狂四人組的專輯拿走了。

「就是她嗎？」拉拉問我。起先我並不了解她的意思。她怎麼知道我在等人？幾秒鐘之後，她又重複問了一次，而且聲調還帶著節奏感。這時我才恍然大悟，拉拉根本不曉得我有約會。

她說：「就是她，就是她，就是她……就是穿著紅毛衣的她？或者是她？哈哈哈！我想起來了，我從你的CD機器聽來的。好聽！」

因爲我不曉得今天上帝的收信夾有多爆滿，所以我只向祂發出像手機簡訊那麼短的緊急禱告：「親愛的上帝，拜託不要！」

我想，上帝的收信夾已經塞滿。

「你覺得還有剩票嗎？」拉拉張著大眼問。

「呃……有可能，妳必須多問一些人……」我說。

「啊……黃牛票！」她高興地說。「我去問問看！」我還來不及阻止她，她便已經在人群中穿來穿去。今天一整天都不順心的感覺，在我腦海揮之不去。

拉拉不會買到票。演場會門票早在幾個禮拜之前就銷售一空。我大可放一百個心。等拉拉下次幫我打掃時，我就在桌上放一瓶美酒，旁邊再擺十歐元，算是對她的答謝吧。況且在《不煩惱，活下去！》這本勵志書裡也提到，平時不該杞人憂天，擔心一些還沒有發生的事，因爲大多數我們所擔心的事並不會發生。假如出乎意料發生了可怕的事情，這時候再開

始擔心也不遲。

拉拉蹦蹦跳跳地走向我。她整個人神采飛揚。現在應該是我憂心的時候了。

「西蒙！西蒙！我有演唱會門票了，你看！」

拉拉樂不可支地跳著，有如一個橡皮球。她自豪地向我展示她的門票。

「西蒙！我要去聽嘻哈樂團演唱會！你覺得怎麼樣？」

「棒極了！」我回答著，而且只假裝了一下高興的模樣。我確實也感到高興。只不過是替她高興，而不是爲我自己歡喜。

「我們現在要不要進去了？」拉拉問我。

「我……還在等人！」

「噢！」拉拉說著，在這一剎那，她顯得若有所思，但是她的眼睛立刻又閃閃發光了起來。她敲了一下我的肩膀。

「那……我去買兩杯啤酒！」

我正想對她說，我不要喝啤酒，可是她已經不見人影，朝著一輛大型啤酒車走去。

☠ ☠ ☠

我並沒有立刻認出瑪西雅。起先，我只看見一雙高度及膝的皮馬靴緩緩靠近會場，接著是一件短到不像話的迷你裙。最後我卻非常確定，這個穿著卡其色高領厚毛衣的女孩是瑪西雅，因爲她留著一頭捲髮。身上少了愚蠢的星巴克制服，她看起來更讓人垂涎三尺！我的自信就像土石流一樣崩垮了。我想向她招手，手臂卻似乎抬不起來。沒關係，她根本還沒看到我。漸漸地，她距離我已經不到二十公尺，而且帶著尋人的目光四處張望。就在這一刹那，我的疑慮又浮上心頭。我原本還以爲我的疑慮已經完全被熱水燙掉了。我這樣一個凡夫俗子，怎麼配得上這種美若天仙的女人？不必近距離看她就曉得，這樣一個女人可以在喬治克隆尼的私人遊艇上一邊爲他按摩背部，一邊對著狗仔隊的鏡頭微笑。所有人都會說：沒錯，這就是配得上喬治克隆尼的女人。

「嘿……！！！」

喬治克隆尼的女友認出了我。我意識恍惚地走向她。儘管我努力裝出自信穩健的微笑，然而不知名的肌肉塊，卻將我的臉往四面八方拉扯扭曲，好比可以竄改照片來搞笑的趣味軟體。走向瑪西雅眞是舉步維艱，感覺上有如半個世紀那麼久。我越靠近她，她越顯得完美無瑕，更加散發著女人味與性感。萬一我根本走不到她面前怎麼辦？萬一我根本就不存在呢？萬一我只是在電腦戀愛遊戲裡闖第二關的虛擬動畫人物呢？我可能正在排除萬難，勇往直前。小心，拿著啤酒杯的傢伙，向左，砰！一百分。注意，人行道的邊緣石磚，太遲了！操

縱桿向前推！咚！我絆到腳了，而且像個豬頭一樣嗤嗤笑，彷彿嗤嗤笑就可以把絆倒這回事化爲烏有。唉喲！噢！只剩下最後一條命。叮叮叮……我接到必須加滿個人魅力儲藏室的警告。接著，我聽見混亂的聲音迴響著：個人魅力剩下百分之十！注意！語言能力近乎零！個人魅力儲藏室空了！！！

大事不妙，因爲我現在就站在她面前。遊戲結束。請重新投入硬幣。喔，我的天！她嫣然一笑！我還有硬幣嗎？我並沒有在她的臉頰上親吻，反而伸出流著手汗的黏膠手。

「一歐元銅板？是給我的嗎？」

「是給妳的！」我回答著，完全沒有結巴。不過寥寥幾字而已！

「謝謝，這眞是一番好意！」她滿意地微微笑，露出一排完美無瑕的皓齒。美上加美！假如她的牙齒之間有一點點縫隙，我在她面前也不會完全像個惹人厭的豬頭啊！可是她完美無缺。我相信她的完美根本就是故意的。我只有兩個辦法：不是立刻舉起白旗，以「我配不上妳！」一話宣示投降，就是直接吻她。我可以撫去她前額的黑色捲髮，嗅著她身上的香草氣味，漸漸靠近她豐滿誘人的朱唇。

「你……就是給我門票的那個嗎？」她問我。

「就是我！給妳門票的那個。沒錯。」

我這樣說，因爲我就是給她門票的那個。聽起來很奇怪。她的話裡並沒有多少感情，是

的，甚至連一點興趣都沒有。

「再說一次你叫什麼名字吧，抱歉，我忘得一乾二淨！」

嗚呼哀哉。這句話又如一箭射進脾臟。她一點都不愛我嗎？和我想像中的情境有天壤之別！就連她的口音和手勢，也突然流露出傲慢無禮。和那些在「歐利維·蓋森脫口秀」大吐人生苦水的人差不多。

「你的名字！」

「噢……抱歉。西蒙！」

「什麼？」

「西——蒙！」

「啊……西蒙。對對對！」

這是可悲的證明！她忘了我的名字。更慘的是，她根本不曾記住！以她的條件，足以連續當上十二期《花花公子》的封面女郎，我竟然還妄想追求她。《花花公子》的全年度封面女郎和我這隻三天沒刮鬍子、穿著狗糞顏色的學生夾克、而且臉上燒焦的癩蝦蟆！眞是轟動全球的一對！

「你的臉怎麼搞的？紅得不得了！」我的玩伴女郎一邊問我，一邊拿著扁細的銀色打火機，點燃一根細長的白色卡地亞香菸。她的香菸用品並不怎麼討人喜歡。

「下廚時發生了一點小意外……」

「啊……」

「當時我正要煮義大利細長麵……」

她的菸才剛點上火，她又從貂毛小皮包內掏出一支時髦的蛋殼型手機，並且看了一下顯示螢幕。可見我的「義大利細長麵意外事故」，還眞是有趣得讓人拍案叫絕啊！

「要進去嗎？」她問我。

雖然聽起來不像是遇見意中人時所講的話，畢竟也總是一個可以回答的問題，例如「好」、「不要」或者「我們必須等一下我的清潔婦」。我決定說「好」。但是就連這個時候，我也無法確定她有沒有聽到，因爲她正拿著手機傳簡訊。

「抱歉，」她說著。我說：「沒關係！」

雖然眼看拉拉拿著兩杯啤酒站在會場入口前，會令我傷心，但世界上就是有些事物無法互相搭襯。譬如「巴西」和「準時觀念」，或者「郵局」和「服務顧客」，更甭說是「清潔婦」和「夢中情人」了。況且，就在我的肌肉快要成型之前，我喝啤酒有什麼好處？當我們排隊等候進場時，我斗膽打開下一波的話匣子。

「星巴克生意好嗎？」

「好！」

「我真替妳高興！」

我等她反問我，可是她沒有動靜，反而是她的手機響了。我試著保持君子風度，不去聽她講電話的內容。當然我還是字字不漏地聽見了。她跟電話另一端的人講述娜婷、潔西和珊蒂的五四三，還說她們統統都是婊子，這是不爭的事實。還有，珊蒂這個肥臀婆最好乖乖閉嘴。

「你知道嗎？珊蒂真的是個賤婊子！」當瑪西雅終於把手機收起來時，她向我解釋。

「我一直都曉得！」我開著玩笑。

「你根本就不認識珊蒂這個人。或者你認識她？」

問題又產生了。她沒有幽默感。或者她的幽默和我的不同。

「珊蒂是妳的星巴克同事嗎？」

「不是，她是科隆市大眾運輸公司管理處的職員！你知道嗎？她明知克里斯是伊麗斯的男朋友，還一直親近他，想橫刀奪愛。」

「這個愚蠢的婊子！」我做出發怒的樣子。瑪西雅點點頭。我們已經到了入口。

一個穿著安檢人員夾克、頭型四四方方、戴著耳環而且目光呆滯的短髮傢伙，在我身上觸摸搜查是否攜有爆裂物。可是他卻一直色瞇瞇地看著瑪西雅。假如我的衣服暗袋裡放了四顆核子彈，他鐵定不會發現。

「昨天玩得還愉快吧？」四方頭口齒不清地對瑪西雅說。

「我們後來還去了『夜航』舞廳。珊蒂的事，你聽說了嗎？」

「簡直就是婊子！」四方頭奸笑著，然後搜查下一個歌迷。我對我身邊女伴的社交圈感到震驚。漸漸地，我甚至有興趣看一下珊蒂的模樣。我們才走進內廳不過兩步而已，我的玩伴女郎就撇下一句「幫我買一杯氣泡酒」，接著便往洗手間的方向消失了。我並非唯一目送她背影的男人。她似乎也知道，而且顯得樂在其中。我的內心逐漸不知所措。我並沒有期待我的星巴克小妞一見面就跟我來個火辣熱吻，而且問我身上有沒有帶保險套。可是假如我們至少能交談一句完整的話，就已經很棒了。我悶悶不樂地買了瑪西雅的氣泡酒，接著又站回原處等她。

我稍微倚著牆，觀察從我身邊經過的人。他們大多成群結隊，七嘴八舌地說個不停。幾乎所有人都介於二十五和三十五歲之間。幾乎所有人都不是典型的演唱會歌迷。大家的前身都是青少年，各自花了三十五歐元，想在這兩個鐘頭之內重溫舊日的美好時光。一個體型肥胖、操著南德施瓦本口音的傢伙，身上穿著歌迷衣服，像是接獲命令似地大喊：「瘋狂四人組超炫！」然後從朋友手中接過一杯啤酒。這些人最令我驚愕之處，莫過於他們喜歡的音樂顯然和我喜歡的一樣。我看了一下錶。瑪西雅已經離開十五分鐘了。正常嗎？太久了嗎？或者這甚至是太短了？太久了！因為拉拉已經通過安全檢查，雀躍不已地進入內廳。天啊，難

道我的麻煩還不夠多！她手中仍然拿著兩個裝著啤酒的紙杯。我根本來不及興起躲起來的念頭，她就已經發現了我，興高采烈地趕緊朝我走來。

「西蒙……你在這裡啊！我在外面一直找你……」

我把她丟下不管，她卻絲毫沒有生氣的樣子。

「抱歉，我以爲妳已經入場了！」我撒謊，而且慶幸臉上的燙傷帶來一項好處：我不會因羞愧而滿臉通紅。拉拉把手上的一杯啤酒遞給我。我必須克服萬難才能忍住不喝。我已經渴到了無以復加的地步。

「什麼時候開演？」她興奮地問我，然後啜了一小口她的啤酒。

「應該就是現在了！」我說著，而且瞄了一下手錶。

「你的好朋友在哪裡？」拉拉想知道。

「不是好朋友，是幾面之緣的熟人！」我向驚訝的拉拉解釋。

「啊，西蒙……是新情人？」

「我還不知道！」我困窘地承認。我確實問我自己，瑪西雅在搞什麼鬼，到現在還不見人影。或許她在廁所遇見了她最心愛的婊子珊蒂，所以在洗手前還要先挖出她的眼睛才罷休。

「那你的熟人在哪裡？」拉拉追問著。

「在廁所，馬上就回來。」我說。

「朵特不適合你嗎？」

噢，我的老天！朵特。這是幾百年前的事了。不過，也有可能是好幾天前才發生的事。

「我和朵特……嗯，我們相差太多了！」

「她告訴我，你們不會再見面了。」拉拉惋惜著，然後又補充說：「可惜呢。她家好漂亮！」

「很抱歉。」我撒謊。這時，瑪西雅姍姍來遲地向我們走來。她走得非常緩慢，因爲她邊走還邊用她的玩伴女郎白色長指甲按著手機鍵。很奇怪，我在星巴克時，並沒有注意到她有這樣的長指甲。很顯然，她在廁所並沒有遇見珊蒂，因爲她的手上沒有血跡。

「這就是你的朋友？」瑪西雅幾乎已經走到我們面前時，拉拉一邊眨眼示意，一邊對我耳語。

「對！」我也低聲回答。

「漂亮的女人！」拉拉點頭默許。她的目光在瑪西雅身上流連。

當我向瑪西雅介紹拉拉時，瑪西雅很驚訝，幾乎嚇了一跳。她的眼神，就像剛收到一張由珊蒂夾在汽車雨刷下面的罰單。

「瑪西雅，這是拉拉！拉拉，這是瑪西雅！」

「我幫西蒙打掃！」拉拉親切地補充著，接著伸出手給瑪西雅。瑪西雅猶豫了半晌才和她握手，而且不看拉拉，卻看著我。

「拉拉？什麼意思？打掃？」

「拉拉是我的清潔婦。」我解釋著。

「你的丫環？你要白爛啊？」

我看起來愈是不像要白爛的樣子，瑪西雅的臉就愈是失去了柔和的表情。當拉拉反擊瑪西雅粗魯的問話時，她也變得有些冷漠。

「我帶鑰匙過來，順便買了票。我也要聽演唱會，但是單獨一人，妳不必擔心我搶西蒙！」

「我們現在就進去吧，肯定馬上就開唱了！」我試圖調解，卻被兩邊忽略。

「他送我門票，不代表就是我的男朋友，拜託一點好不好!?」瑪西雅傲慢無禮地反駁著。她這種口吻，我之前似乎不曾聽過。很顯然，愛情不僅令人盲目，還令人耳聾。

「我只不過是說，我不想打擾你們！」拉拉向她兇回去。呼！上一次見到拉拉這麼生氣，是我說她打破我的紅陶花瓶時。我把氣泡酒遞給瑪西雅。她省去了道謝的客氣話，氣呼呼地走向演唱會大廳。剎那間，我只能張著嘴呆站在那裡，接著我立刻追上去。

「對，沒錯，我們現在就進去吧！」我絕望地在她後面喊著，一邊向拉拉揮手，示意她

跟著我走。走了幾公尺之後，我們追上了瑪西雅，於是三人一起在數百位歌迷之間鑽路。身爲歌迷，我的預感果然沒錯。在其他的演唱會上，每鑽過一排人群，至少會聽到聲調拉長的「喂！」或者「插隊！」的斥責。但是「瘋狂四人組」的歌迷們反而向旁邊退一步，而且還傻呼呼的微笑。

「你要過啊？當然，前面看得比較清楚！呵呵呵……」

當我們終於挑定混音器前面的位置時，拉拉擰了一下我的襯衫，向我耳語著：「壞女人，西蒙！」她立即又補上一句：「黑心！」

我雖然不知道什麼是黑心，但是我可以想像得出不是什麼好東西。幾個演唱會工作人員，正在舞台上擺置一些樂器。每一位工作人員都受到熱烈鼓掌。不巧的是，拉拉站在我和瑪西雅中間，不過當她察覺時，便往前走了一步。瑪西雅仍舊忽略我的存在。嘿！我好歹也送了她這一張門票耶！她的眼神爲何這麼冷漠，彷彿我剛才用一塊磚頭砸破了她家的廚房窗戶？我也已經無法確定我對她的感覺。不過，我非常清楚的是：這個站在我身邊的女子，和我愛上的那一個簡直判若兩人。但是我還沒有打算放棄。沒錯，她不只刻意保持疏遠，而且舉止沒有格調，可是她看起來還是那麼美麗。是拉拉刺激到她了吧。而我呢……？或許她眞的只是爲了這張票才來這裡？

燈光暗了下來，在喧騰的歡呼聲之中，好幾位歌手上了舞台。我和拉拉邊叫邊拍手……

瑪西雅卻在手機上按著鍵，頭也不抬。

「開始了！」我對她喊著。她點了點頭。這表示我的訊息確實已傳送到她那裡，而且被她的大腦接收與分析了。總比沒有好。彈奏弦樂器的團員開始演奏。幾秒鐘之後，全身裹著白布的饒舌歌手托瑪斯走上舞台。拉拉喊著告訴我，那塊布料如果沾到紅葡萄酒，就沒有辦法再洗回白色了。托瑪斯坐在椅凳上說：「哈囉，杜塞道夫市！」真會搞笑的傢伙。在會場一片起鬨的噓聲過後，第一首歌曲的節奏便響起。台下歌迷一邊狂喊，一邊熱烈鼓掌。令人五體投地！「瘋狂四人組」現在就已經掌握了現場氣氛。

「是她嗎？」拉拉對我喊著。

「不是喔……可是肯定等一下會唱！」我喊回去。當我又轉向瑪西雅時，她已經不見人影。就這樣無聲無息。一個字也沒說。這麼快就結束了。她會回來。我們聽了〈新國家〉、〈不存在的城市〉以及〈數百萬軍團〉，可是仍然沒有瑪西雅的蹤影。這個晚上發生的一切實在很奇怪，我思索著是否還能忍受她的行徑，可是沒有結論。至少拉拉玩得很開心。當「瘋狂四人組」說唱著〈野餐的人〉時，她已經和其他上千個歌迷一起彈跳著，而且一再笑著示意我跟著跳。可是我不想跟著彈跳。我想知道瑪西雅到底怎麼了。當〈在海邊的那天〉一響起，我就對拉拉說我必須上洗手間。我動作粗魯地撞開人群，擠向會場後方。我無法不想著那一夜我在瑪西雅的公寓窗外傾聽這首歌，我無法不想著那一夜我感到好幸福。我強忍著，

不讓淚水流出濕潤的眼眶。

然後我發現了瑪西雅。她站在氣泡酒吧台前。她身邊有兩個體型高大的肌肉猛男，他們身上還穿著超級緊身、凸顯肌肉的上衣。其中一個把手放在瑪西雅的臀部。我頓時傻了眼，不知所措。我想要繼續往前走，雙腳卻不聽使喚。我只能目不轉睛地朝著瑪西雅的方向看。然後我們的目光交集了一秒鐘。只有一秒鐘。接著她便望向別處。

就這樣。

一切都清楚了。

這個沒品的蠢女人！

我曾想過最壞的打算，卻萬萬沒想到會是這種下場。假如在星巴克時她就讓我碰釘子：沒關係。假如她把我贈送的演唱會門票浸到奶泡裡作廢：也無所謂。可是今晚呢？這個傲慢的蠢女人，到底把我看得多扁？回想起每一滴我爲她白流的眼淚、每一杯我爲了鍛鍊無聊的腹肌而拒喝的啤酒，我就噁心想吐。她在乎個屁！我氣憤地朝向她重步走去。天啊，我氣得火冒三丈！如果一個魯莽愚鈍的歌迷在這時候撞到我，我會把他打扁到他再也不曉得斯圖嘉特市的車牌代碼。我在氣頭上點了三杯啤酒，兩杯給我，一杯給拉拉。我在結帳時又往一側擠了幾步，以便直接站在瑪西雅和那兩個豆腐腦旁邊。接著我便轉身面向瑪西雅。

「祝妳繼續玩得愉快！」我對瑪西雅大吼。

「你也一樣！還有，替我向你的丫環問好！」她不甘示弱地對我吼回來。那兩個豆腐腦捧腹大笑。

人無法駕馭不由自主的反射動作。也因此，啤酒便從我手中的三個紙杯內，向瑪西雅的「花花公子玩伴女郎臉蛋」飛濺而去。那是總共超過一公升的科隆啤酒。她震驚到說不出一個字來。但是她身邊那兩隻野獸開始對我張牙舞爪。我想逃，卻已經太遲了。

「那是反射動作！」我還喊著，胃部就已經挨了一拳，接著又飛來一拳，然後一陣亂拳朝我的身體各部位擊來，讓我無法再辨識出確切的位置。我感到呼吸緊迫。我已經不知道哪裡是天、哪裡是地。我沒有翻身的餘地，因爲這兩個大漢比我高壯。我大概被扁了將近一分鐘，或許是兩分鐘也說不定，總之我不曉得。後來出現了兩位保全人員，他們比我的仇家更高壯剽悍。我只聽說那兩個豆腐腦被攆了出去。接著我一瘸一拐、氣喘吁吁地走回啤酒攤。一個戴著眼鏡和牙套的少女，吃驚地瞪著大眼說出「噢！我的天！」諸如此類的話，然後硬拖著一個維護秩序的保安人員到我面前。這個保安人員拿開我剛點的啤酒，問我覺得身體狀況如何。我說一切棒到極點，但是我現在必須回到舞台前方找我的清潔婦，而且我一直錯看了愛情這件事，歐利維·蓋森主持的脫口秀節目裡還不曾發生這種蹩腳事，而且瑪西雅確實很黑心，可不可以把啤酒還給我，因爲我渴得要死。我說完，人就被帶走了。

17 秦樓楚館

當心理醫師韋格納博士拍拍我的肩膀，讓我離開紅十字會的房間時，演唱會早已結束。「您乾脆就去度個假散散心吧！」他不忘又叮嚀一句。

「我會的！」我向他保證，然後輕輕潛入燈光幽暗的大廳，走向出口處。「代我向拉拉問候！」我聽見他喊著，可是我只舉起手示意我會照辦。一隻手竟然也如此沉重。

我在身上搜出手機，然後撥了寶拉的號碼。螢幕上顯示著「正在撥接中」。我又掛斷了。我能跟她說什麼好事？追瑪西雅沒有成功並非她的錯。基本上寶拉早就已經料到了。我們在芬蘭浴池碰面那天她就知道了。她只是不想讓我傷心而已。打傷我的人，卻是瑪西雅身邊那兩個愚蠢的豆腐腦。我改變心意，打了電話給弗里克。他竟然在家。我們約在有DJ的「德利特」調酒酒吧碰面。弗里克很高興我打電話給他。至少有一個人喜歡我找他。我推開出口沉重的大鐵門，立即撞上一道由冰冷空氣砌成的牆。我的手臂疼痛不已。我的下頷也一樣。過了半個小時之後，我終於等到一部計程車。司機一見到我就說：「噢！我的天！」

弗里克雖然沒有挨揍，看起來卻和我一樣悽慘。我們互相擁抱了一下，便進入客滿的「德利特」酒吧。不出所料，他立刻就問：「你怎麼變成這副德行？」我只以「等一下再說！」回應。我走向吧台，點了兩瓶貝克啤酒。弗里克六神無主地站在一根柱子旁。我察覺到這裡的客人都比我們年輕，幾乎沒有例外。弗里克整個人顯得十分迷惘，神情非常恍惚。他最近讓我驚訝不已的一些正面轉變，已不復見。弗里克今天又穿著他那件老舊而且褲管太短的長褲，上身則是一件緊繃著肥肚的方格紋襯衫，來自於他以前比較苗條的年代。儘管天氣冰冷，他今晚還是照樣穿著流行的公敵——學生式便鞋。兩個無聊發慌的女大學生離開了吧台，因此空出了兩個高腳凳。我們立刻占爲己有。當我們坐下來時，我馬上發現了她們感到無聊的原因：兩小瓶不含酒精的天然有機汽水。竟然有這種健康爛飲料。當下年輕人實在是太淪落了。我舉杯向弗里克敬酒，接著便一口氣喝掉半杯貝克啤酒，這個啤酒杯對我而言，簡直就是侏儒尺寸。弗里克只是小口吸著他的啤酒。他道歉地說：「太冰冷了，我的胃會受不了。」我正準備向弗里克繪聲繪色地描述今晚演唱會變成大災難的精采過程，他卻爆出一句話。

「丹耶拉跟我分手了！」

我無言以對地凝視弗里克。這就算是我的開場白吧！

「狗屎！」這是我在情急之下唯一能夠想出的話。我聳聳肩抓起我的啤酒，又和弗里克碰一次杯。叮！這個可憐蟲！我是否應該不打自招，告訴他我和丹耶拉一起去喝酒的事？或許她已經告訴弗里克了，或許弗里克隱約知道內情。通常聽到「某某人跟我分手了」這樣的陳述之後，理當提出「爲什麼？」的問題。

我非常害怕提出這個問題。弗里克看起來很憔悴，和丹耶拉分手顯然令他痛苦不堪。這也難怪。弗里克歷經這麼多年的感情空窗期之後，丹耶拉是他的第一個緋聞女主角。而我這個混蛋卻偏偏從中攪局。我很快就把啤酒喝光，再點了一杯伏特加湯尼。

然後我才壯著膽子問。

「爲什麼？」

弗里克果然正等待著這個問題，他很快就回答了。

「她對我就是沒有愛的感覺。她非常喜歡我，可是不來電。」他以微弱的聲音向我坦承。

「唉，又是只能當哥兒們、不能當戀人的老故事！」我嘆息著。

弗里克像麻雀一樣又啜了一小口貝克啤酒。

「感情無法強求！下一個女人會更好！」

「唉！嗯……」他嘆著氣說：「我可以理解丹耶拉。如果我是女人，又擁有丹耶拉的條件，當然也不會對我這種類型的男人有興趣！或許會喜歡像你這樣的類型，可是……」

噢，天啊！這個可憐蟲。這個好弟兄弗里克吐了半天苦水，只喝掉半瓶啤酒，其實他眞正需要的是十次心理診療。如果我現在還告訴他，我昨天和丹耶拉一起上酒館，或許健康保險公司還願意再給付另外十次的診療費用。

我才不說。我朋友現在需要的是安慰與散心！需要某個了解他的人幫他重建信心，激勵他的士氣。那個人就是我。

「現在不要自卑了好不好！你的長相也沒有眞的那麼像狗屎！」

或許我的措辭應該委婉一些。

「謝了！」

「拜託！你就去買幾件比較像樣的衣服，減肥十公斤。這樣就已經不錯了。弗里克，你看起來眞的沒有那麼像狗屎！」

我認爲我這次的措辭好聽多了。

「就這樣而已嗎？」弗里克沙啞地說，而且用啤酒瓶大力敲著吧台桌。這時，他的啤酒看起來似乎又比之前滿一些。

「不！你也應該去剪個頭髮，你還需要一副新眼鏡！寶拉也這麼認爲！就這樣而已！」

那麼，他現在曉得了。或許這幾項建議對他的未來人生有所幫助。在這一刻，他卻只是盯著一群玩鬧得非常開心、無所事事的大學生。他到底有沒有聽見我的話？

「你下次可以帶我去你的健身中心嗎？」

他聽進了我的話。

「不行。」

「爲什麼不行？」

「因爲其他人就會認爲，我們兩個也是男同志。你明明就曉得我健身的地方！」

弗里克忍不住奸笑著。他終於懂了。

「那麼一起去逛街購物總可以吧？買一件新的牛仔褲或者一些襯衫，好不好？」

「樂意奉陪！」

弗里克滿意地點點頭。「好極了！」

我鬆了一口氣。因爲我非常放心，所以過了一會，我便向他描述我經歷的事。「如果你相信你今天很倒霉，那麼我告訴你：今天我被修理得慘不忍睹！」

「眞的？爲什麼？」

我告訴他一切經過，從下午和寶拉在咖啡屋碰面、臉部燙傷，一直講到拉拉、瑪西雅以及插曲事件——瑪西雅身邊那兩個動手打人的豆腐腦。

「全部都發生在一天之內？」弗里克安心地微笑著。

「全部都發生在一天之內！」我唉聲嘆氣著，然後喝光我的伏特加湯尼。接著我又向調酒師招手，再點一杯。就在這一秒，弗里克的慢性胃痙攣似乎也不藥而癒，因爲他竟然點了他這輩子的第一杯邁泰朗姆調酒。

「相比之下，我只過了沉悶無聊的一天。我是說，只不過是一個女人跟我分手而已！」

「幾乎微不足道！」我補充著。

DJ正播放著卡通《太空突擊隊》片頭音樂的混音曲。音樂不僅來自八〇年代，而且最主要還來自四度空間。

「太爽了！」弗里克一邊說，一邊跟著節奏點頭。

「對啊！」我說。我以前一直很喜歡看《太空突擊隊》，因爲我覺得只有軟腳蝦和小女生才會看《小白獅王金巴》。直到多年以後，我才領悟所有的卡通影集都是給小女生看的，但是我已經覺得無所謂，因爲我那時候已經開始看貨眞價實的男人影集，譬如美國影集《無敵鐵探長》和《四個拳頭三人組》。

「爲什麼德文版片名叫做《四個拳頭三人組》？」我問弗里克。他正接過一杯令人驚豔的邁泰蘭姆調酒。

「因爲……噢！超大一杯！因爲其中一人沒有辦法揮拳，因爲他總是把大拇指放在拳頭

內。他是個電腦專家。」

「對。你現在說了，我才想起來！沒錯，就是那個戴眼鏡的傢伙。」

確實很古怪。觀賞最喜愛的電視影集有數年之久，卻一直到二十年後才領悟片名的意義。三個人，只有四個拳頭，因爲其中一人無法揮拳。這根本就淺顯易懂！我眞蠢！弗里克繼續和他的蘭姆調酒奮勇作戰，我則繼續喝伏特加湯尼。沒有多久，我們兩個已經陶醉在飄飄欲仙的境界裡。因爲我們害怕這種美妙的感覺在瞬間幻滅，所以又點了下一回合的調酒，說著言不及義的廢話，理所當然嚴禁「瑪西雅」和「丹耶拉」這幾個字。做每件事都有正確的時機。凌晨一點多時，我問弗里克想不想去別的地方。

「去哪裡？」

「我有一個好主意！最適合我們不過了！」

弗里克同意了。當我第一次從吧台高腳凳起身時，我才驚異自己爛醉的程度。管它的，反正今晚的一切，都在自動導航系統的操控中。而現在即將發生的事情，也是勢在必行。

科隆兩家規模最大的妓院前面人聲鼎沸，彷彿今天有上萬個男人同時被老婆遺棄。喜

歡誇張雙關語遊戲的人，對於眼前萬人騷動熙攘的場景，不禁會形容爲「尖峰」時刻，而且對這個笑話嗤嗤笑不停。我及時閉住了嘴，因爲跟我們的計程車司機可不能開玩笑。從計費儀表板上發黃的證件照便可看出。上面寫著大名：尤普·克羅茲斐特，而照片上的他眼露兇光。只缺一項警告標示：「當心，我是正版科隆人！」

我們以蝸牛的速度，駛向一排停靠在等候站的計程車隊伍尾巴。我很感謝的是，截至目前爲止，這個正版科隆人對我們的目的地沒有半點微詞。

「您可不可以悄悄在這裡停車？」我問。

「這是北萊茵威斯特法倫邦最大的兩家妓院。在這裡沒有辦法悄悄停車。十三歐元六十分錢！」

這個尤普·克羅茲斐特說得沒錯。我給他十五歐元免找，然後吃力地下車，往弗里克身邊站。他張目結舌地瞪著四周，整顆頭紅統統的。

「眞是奇觀！簡直就像逛年市一樣！」他喘吁吁地說。

「很熱鬧吧？」我以一副見過世面的樣子附和著，好像我每個禮拜都來這裡似的。事實上我只來過一次而已。當時我爛醉如泥，白白花了五十馬克卻舉不起來，不久就讓一個嫌我噁心的女計程車司機載回家。不過這是好幾年前的事了。今天是我雪恥的第二次機會。弗里克顯然已經心有所屬，他抬頭望著其中一家妓院的白色塑膠旗幟，上面寫著：九十九歐元幹

到飽！

「西蒙！」他喊著。「過來一下！」

我何必走過去？那面旗夠大了。根本不需要走近，也可以把上面的標語看得很清楚。

「啊，哈……！」我口齒不清地說著，然後站到弗里克身邊。

「這是什麼意思？」他難以置信地問我。

「顧名思義，我想這句話已經寫得很白！」

「眞的嗎？」

「我認爲是這樣！」

我們兩個像是笑嘻嘻的泰國調酒服務生，跌跌撞撞地走入妓院。不可思議。我可以發誓，如果是以前，我至少得花上半小時說服弗里克找妓女。可是他現在反而率先走進去。一個粗壯如牛、戴著耳機的守門保鑣替我們開門。室內空氣悶得令人窒息。不出所料，地毯果然閃著妓院專屬的紅色亮光。在結帳台前，我幾乎無法專心，因爲就在後方幾公尺處，已經有一個女孩坐在酒吧高腳凳上，而且身上穿著白色內衣！我們兩個各付了九十九歐元，並把一個黃色的塑膠環套在手上。我把手臂搭在弗里克的肩膀，卻讓他一時失去平衡。我們兩個差點撞上牆壁。坐在高腳凳上的女孩竊笑著，那個高大的守門保鑣又盯著我們打量。我們壯著膽子往前走了幾公尺，經過一些半裸的女孩，可是其中只有一個長相漂亮。這些女孩盯著

我們瞧，沒錯，她們幾乎用眼神就把我們脫得精光。這難道不是欺壓男性嗎？一股強烈的恐懼感，突然向我襲擊而來。對，簡直就像活見鬼一樣。我拉著弗里克進入一間小酒吧，裡面坐著三個男人和三個女人。在吧台後方，一個上了年紀的女調酒師正抽著小雪茄。從建材批發市場買來的廉價音響，正播放著尼克科修的英文歌〈這不是很好嗎〉。才怪，一點都不好！

「先休息一下！」我氣喘吁吁地說，好像我剛剛才和上百名遊客爬樓梯登上科隆大教堂似的。

「可是我們根本什麼都還沒做！」弗里克抗議著。

「不管！我們剛到，暫且觀望一下！」

「我沒意見……」

我彷彿坐在等候室裡，準備跨過冷靜理性的邊界。護照文件都已經準備妥當，理論上隨時都可以跨越界線，然而我卻對這種以金錢向陌生女子換取的性交易心生敬畏。在酒醉時才意識到，甚至連自我認同的個人形象都和事實不吻合，這並不是一件令人欣慰的事。更別說西蒙·佩特斯剛才搭了計程車到妓院，三分鐘後便和一個經常被租借而磨損的金髮女人性交。

我點了兩杯啤酒，付了十六歐元。我把其中一杯遞給弗里克，然後用兩大口把另一杯喝

得一滴不剩。我意識到，包括入場費用在內，我等於花了一百零七歐元喝這一杯科隆啤酒。因此我除了進行反擊之外，沒有撈回本錢的其他辦法。於是我敲了一下弗里克的肩膀。

「我們今天被修理得很慘，對不對，弗里克？」

我察覺到，貝克啤酒、伏特加湯尼以及科隆啤酒一起聯軍對抗我的大腦語言中樞。不妨這樣比喻：假如我是新聞記者，現在已經被電視台禁止播報重點新聞了。

「你說得一點也沒錯！」弗里克口齒不清地附和著。

弗里克也被電視台禁止播報新聞了。

「我們可不是好欺負的！」我咬字含糊地說。

「我們幹回去！」

「幹回去！」

那個青春已逝的女調酒師以懷疑的眼神望著我們時，我們兩個乾了杯。當我稍微向左轉身時，我旁邊站著一個向我微笑的女黑人。噢！莫非她剛才聽見我們說了「幹回去」這三個字！在我還來得及爲這骯髒不雅的用詞道歉時，我才想到我身在何處：我在妓院裡！而且在妓院裡說「幹」字無傷大雅。因此我只對她報以微笑。當我正想對弗里克眨眼示意時，他卻已經和一個穿著白色緊身褲、個子嬌小的泰國女人聊起來了。

「想找樂子嗎？」女黑人用英文問我。她的外表看起來根本不差，我猜她的年紀四十五

歲左右。她的服裝儀容很整潔，但是身材並不怎麼苗條。不過，假如我能夠把喝掉的七瓶啤酒和三杯伏特加湯尼嘔吐出來，她看起來就很醜了。但是話說回來，今天我自己也很醜。可惜我不知道的是，假如我今晚繼續酗酒，眼前這位提供租借的非裔美國女人，是否就會變得美麗一些。

「妳是哪裡人？」我純粹出於禮貌而問。這時我卻震驚地發現，弗里克和那個泰國妞手牽手離開。喂，難道她沒看見弗里克那麼肥，而且還穿著學生式便鞋嗎？我再也不懂這個世界了。難怪大家總是批評妓女根本沒有品味。

「多明尼加共和國。我叫汪妲……」女黑人對我呵氣耳語，而且直接了當對我的睪丸伸出魔掌。我緊緊握住已經喝光的科隆啤酒杯，內心但願酒杯不要爆裂成碎片。不要，我不要和最先碰到的妓女進去包廂。如果我不嚴加留意，這位加勒比海女士將會在整整五分鐘之後，把我按倒在床上。弗里克早已不知去向。這時，汪妲已經開始用手指用力按摩我那無助的男性生殖器。我根本沒有興致。但是我能當著一個女人的面這樣說嗎？她會不會覺得沒有面子？我當然還是必須表態。「對不起，可是這是我的睪丸耶。」這樣說可以嗎？

不怎麼高明。正當我努力對抗勃起時，女黑人開始輕搔著她指間的玩物。拜託，拜託，現在不要勃起！我可以分心想著科隆慕爾海姆區的維也納廣場。那個廣場醜陋的程度，可以讓我的高潮延遲好幾個小時。

「你喜歡嗎？」汪妲問我。

「嗯，不錯。」我說。我不過只有兩分鐘滴酒不沾，眼前這個女人看起來已經像五十多歲。

「你想要的，我都可以做。我可以幫你吹喇叭，讓你永遠難忘！」

親愛的，我也相信我不會忘記！那個上了年紀的女調酒師，在吧台後方對我微笑，彷彿想說：「就做吧，我的孩子，對你有益而無害！」

可是我就是沒有興致。反之，對一個正在撫弄我下體的多明尼加共和國妓女，我提出了再蠢也不過的問題。

「多明尼加共和國。我一直很想知道這個國家有什麼樣的政體……是民主政體嗎？」

顯然不是。因爲就在這一刻，這個「加勒比海蘭姆酒媽媽」牽起我的手，走向她的包廂。就這樣二話不說。答案揭曉了！多明尼加共和國是專制獨裁政體。我們進入一個置有大床的小房間。汪妲把門關上後，便脫掉我的衣服。我沒有抗拒。抵抗專制獨裁政權是自找罪受，因爲個人的意願根本微不足道，只有閉嘴屈服的人才能明哲保身。當我身上只剩下一件四角內褲時，汪妲雖然把我推倒在床上，自己卻不準備寬衣解帶。通常不是應該相反嗎？短短數秒鐘之內，她給我的小弟弟戴上了保險套。我內心暗想，果然是專家，技術就是不一樣。

「好棒好棒！」我大聲說。接著，我突然感到下面升起一股暖流。我揚起頭，看見被廣泛稱爲口交的動作，正如火如荼地進行。和市面上的A片不同之處，我也很快就發現了：我在場！當我還津津有味地想著，自己能夠體驗到A片裡的口交眞是棒極了時，我就已經達到高潮了。其實一點也不特別，我也沒有像A片演員一樣發出「啊……」或者「喔……」的呻吟。我只是純粹射精而已。然後汪妲從我的黃色手環剪下一部分，而且收起來。啊……我猜這是用來計算她的酬勞。我聽見水流聲從小浴室內傳出。我覺得很古怪，她竟然正在清洗雙手，因爲她根本沒有碰觸我的身體，沒有眞的摸到。我發現我仍舊像個裸體的槍決犯，躺在汪妲的床上。一個酒醉、裸體的男人，戴著消了氣而軟趴趴的保險套，穿著褪到腿上的鮮豔四角內褲，躺在一個妓女的床上。還有比這更沒有尊嚴的事嗎？

「過癮嗎？」汪妲問我，然後把我的衣服拋在床上。奇怪。她剛才不是還很親切嗎？

「嗯，謝謝！」我說著，而且還想替自己提前達到高潮而道歉。可是她根本懶得再看我一眼。於是我盡快穿上衣服，然後慢慢走出妓院。「九十九歐元幹到飽」的旗幟在我頭頂飄揚。哈，超級棒！我已經反擊回去了。我幹回去了！哈哈哈哈。我在一個矮牆上坐了下來，點燃一根菸。抽起來味道噁心極了。弗里克正在做什麼呢？也該是他走出妓院的時候了。

弗里克終於出現時，我已經凍得半僵了。他有如一位打了勝仗的統帥，得意揚揚的離開妓院。臉部整型醫師也需要兩個星期的時間，才能磨除弗里克臉上愚蠢的微笑。

「西蒙！」他吼著，就像醉漢一樣大聲咆哮。他擁抱著我說：「真的是太爽了！」

「什麼太爽了？」我不爽地問。

「她們完全被我耍了，我和七個女人做愛！七個！」

我瞪著弗里克，好似無尾熊瞪著燃燒中的尤加利樹園。

「七個？你醉成這副德行，還能和七個女人上床？」

「可以！我剛才已經說了，她們統統被我耍了。其實只有在第七次時，我才達到高潮！」

我再也聽不懂他的話了。

「之前呢？你沒有高潮嗎？」

「我假裝有高潮！很厲害吧？所以我才有體力繼續做！你自己說的，我們要幹回去！」

直到現在，我才清楚弗里克腦袋裡的反攻計畫。

「慢點，弗里克。你的意思是說，你剛才在六個妓女的床上假裝達到高潮嗎？」

「太棒了，對不對？我剛才和女人上床的次數，比我這輩子還多！」

敬佩。這是老闆級作風。我必須在這一點認同他。這一招我竟然沒想到。肥仔弗里克果真把這家爛妓院嘿咻到每一分錢都撈了回來。

「你呢？」

「也很棒。我和一個瑞典妓女上了床。幾乎花了一個鐘頭！」我撒謊。

「既然這樣，我很高興你沒被那個肥女黑人從酒吧帶進房間！」弗里克樂不可支地說。

「那個老妞叫什麼名字？肉圓嗎？」

我不知道爲什麼我說了出來，但這句話就是從我嘴裡脫口而出，有可能因爲弗里克和七個女人上床的事激怒了我。

「我曾和丹耶拉出去過！」我平靜地說。

「什麼？」因爲弗里克嫖了七個女人而得意忘形，所以尙未回過神來。

「我說，我曾和丹耶拉出去過！」

弗里克四周的空氣頓時凝結起來。

「丹耶拉？和我的丹耶拉嗎？」

「沒什麼大不了的事。我什麼也沒做。可惜她就是愛上了我。」

就在這一刹那，我眞希望我根本沒有說出口。弗里克只是沉默地望著我。「對不起！」

我說。弗里克拚命喘著氣。我只能猜測他內心的感受。

「什麼時候？」

「我去了西班牙語課，我……只是想瞧一下你的丹耶拉長什麼樣子！」

「昨天！」弗里克嘆著氣走近矮牆，在我身邊坐了下來。「所以她在電話中才那麼怪異！」

我寧願弗里克狠狠打我一巴掌，然而他只是愁眉苦臉坐在那裡，眼睛瞪著妓院的入口。

「弗里克，眞的一點事都沒有發生。我們只是去酒吧喝點東西。她似乎就是覺得我不錯，而且……反正……我眞的沒有做對不起你的事，另外……分手眞的對你比較好！」

我遞給弗里克一根菸。他接了過去，卻沒有抽。我們沉默不語地坐著。我抽著菸，他看著我。我對我自己的一時失言，眞是氣急敗壞。可是誰叫他對我這樣挑釁！無所謂了，不論我現在說什麼，都只會把事情弄得更糟。當我抽完菸時，他站起來講了一句話。那句話，可能將在我的腦袋裡不斷糾纏作祟，一直到我壽命終了的那天。他口齒清晰地說出來，而且每一個去他媽的音節都說得非常認眞。

「西蒙，我覺得，我們不再當朋友比較好！」

「你是指『假如』我們不再當朋友。」我糾正他的文法。之後，弗里克便離去了。

18 如果您有一顆檸檬

在這個天氣冰冷的星期一早晨，在我身邊寸步不離的這個男人個子矮小，身上穿著灰色西裝，手裡提著一個黑色公事包。這個每一秒鐘都緊盯著我不放的男子，完全不曉得我度過了有生以來最悽慘的週末，完全不曉得我的情緒。這個男子被委託前來向我要債，因爲我尙未繳清電費和瓦斯費。而且他還說，他僅僅這一次破例給我方便。他所謂的破例，就是陪同我去提款機領錢，好讓我把五百六十一塊歐元現金交到他手裡。我幹嘛在早上九點做這種給自己不好過的事？原因很簡單：我沒有選擇的餘地。據他說，我已經收到好幾封警告信函。我問這個矮小的男子，我怎麼可能曉得自己接到警告，因爲我從來就沒有空閒拆開所有的信件。他聽了大笑，這個矮子！他說，如果我這麼忙，肯定是個工作狂，所以一定賺了很多錢，可以立刻給他五百六十一塊歐元。這一點，讓我開始憎恨這個矮子。

「您的銀行是哪一家？」這個矮子神情嚴肅地問我，因爲我們已經走了十分鐘，卻還沒有走到提款機。

「科隆市立儲蓄銀行。」我說。

他回答：「哦！」彷彿光是銀行的名字就已經唱衰了。當然他的看法也不是完全沒有道理。只要你在財務上有一些雞毛蒜皮的問題，無法償還預支款，他們就再也不會送給你月曆、原子筆，或者給予其他優惠。

當我們抵達這家惹人厭的分行時，這個矮子說：「我跟您一起進去！」

「隨便您。」我說。我把提款卡插入提款機的卡縫裡，內心祈禱著商標爲粉紅色的雇主已經把我的薪水匯入戶頭。我輸入密碼時，那個矮子正在擺著銀行產品目錄的大桌子前，翻閱有關養老儲蓄金的資料。

我很緊張，因爲就連我自己也不清楚我的戶頭裡還剩多少存款。好幾個月以來，我都不想解開這個悽慘的謎底，因爲我覺得這樣比較安全妥當。我在提款時也不必盯著餘額數字，因爲我長得太高，所以看不到。這個提款機螢幕的安裝角度，讓所有身高超過一百八十公分的顧客必須下跪，才能看清楚右上角的顯示列。我個人認爲，這是一些矮男人的復仇。個子矮小的男人，想要讓個子高大的男人在不知情的狀況下負債累累，使他們付不起房貸、養不起老婆。然後個子矮小的男人便乘機反擊，向個子高大的男人提供超高利息的信用貸款。接著，高大男人的負債額更是每下愈況。最後，個子矮小的男人收押你的房子、接管你的老婆，還以昂貴的豪華禮車到幼稚園接你的孩子回家。個子矮小的男人就是這樣。他們就是要

讓每一個超過一百八十公分的男人，最遲在三十歲時一落千丈，跌入墮落的深淵。

我小心翼翼地屈膝蹲下。

超支一萬零六百七十八歐元又九十八分。怎麼可能！

「沒事吧？」這個矮子問我。

「當然沒事！」我一邊咳嗽，一邊還設法用手指甲刮去數字前的減號。在戶頭超支的情況下，如果這個爛機器還肯吐出一點紙鈔給我，肯定就是奇蹟發生了。我觸摸螢幕上的「其他額度」區，然後鍵入六百歐元。我聽見機器內部發出嗶嗶和卡啦卡啦聲，接著好像正在進行列印，最後則在螢幕上出現一行字：請洽您的銀行諮詢顧問。

幾秒鐘之後，提款機開始召喚下一位顧客插入卡片。我期待它將提款卡歸還給我的一絲希望也跟著破滅。下一位顧客又是我，可是這個白痴機器當然不曉得。我當然也不會主動聯絡我的銀行諮詢顧問，因為自從他不再送我月曆以後，我就不喜歡他了。我頂多會把一個混凝土鑄成的減號，綁在他那雙細工縫製的皮鞋上，然後連他一起丟進鄉野間因施工挖坑而造成的小湖裡。

「有問題嗎？」這個矮子問我，而且還試著用他的小眼睛偷瞄提款機螢幕。

我說：「有。」接著把我的皮夾收起來。

「問題很大嗎？」

「不妨這樣說吧，比您的個子大！」

如果我沒有說出這句話就好了。

「夠了。我們現在返回您的住所！」這個矮子氣憤地說。

「然後呢？」

「然後斷電斷瓦斯！」

「現在是冬天耶！」

「這個您可以去跟管轄區的社會局抱怨啊。」

「我有一個女性朋友在《科隆快報》工作，她會把這件事寫成頭條新聞！」我恐嚇他。

「我昨天去過那裡，這家報社也欠錢！」他平靜地回答，接著走出銀行的前廳——完全就像一個矮子走出銀行前廳應有的模樣。

當我們走到外面時，我說：「我剛才說的話並沒有惡意！」

「什麼話沒有惡意？」這個矮子問我，卻沒有打算停下腳步。

「唉，就是我說的話！如果您給我十分鐘，我會想辦法從一個同事那裡籌錢！」

這個矮子並沒有說「好極了」，但是至少他停住了腳步。我想不起來自己什麼時候曾對別人這樣卑躬屈膝。這個矮子可能很喜歡這一套。搞不好這甚至是他做這一行的原因。

「是什麼同事？哪一家公司？多遠？」他想知道。

「就在附近，是銷售員，德國電信T點銷售服務站！」這個矮子說：「我的手機電池最近不靈光！雖然是全新電池，可是用了一小時就沒電了！」

「這事包在我身上！」這個矮子查看他的大型行事曆之後同意了，因爲他將拜訪的下一戶就在附近而已。最後，當著這個矮子的面，我那位四眼田雞同事沃爾克，咬牙切齒地簽下一張轉帳五百六十一歐元的匯款單。

「瞧，我們還是把這件事解決了。」這個矮子一邊說，一邊把他的手機新電池裝好，而且塞給我一張名片。

「如果電子行事曆手機有特價促銷活動，您可以打電話聯絡我。聽說這種行事曆手機很實用！」

「我一定會聯絡您，」我撒著謊，而且過度殷勤地爲他打開店門，目送他離去。我把他的號碼鍵入我的手機內存檔，準備每天半夜兩點以匿名電話騷擾他，讓他不得安寧。我走到飲水機前，在小紙杯內倒入只剩半滴的礦泉水。從我的同事沃爾克身上，散發出一種緊張不安的氣息，甚至渲染到我的飲水機前。無庸置疑，一定發生了什麼事情。我可以嗅出不尋常的氣味。

當我把小紙杯扔進垃圾桶時，他壓低聲調的說：「西蒙，到樓上去找主管！」

「什麼事？」我輕聲問。

「有訪客在她的辦公室裡，想跟你談話！」

「噢！弗里克在哪裡？」我輕聲問。

「他生病了，晚一點才會來。」他的回答簡單扼要。

謝天謝地。在我撞見他之前，我自己必須先整理一下思緒。發生了這整個豬頭事件之後，繼續和弗里克一起工作肯定不容易。當沃爾克又再一次小聲提醒我上樓找貓頭鷹時，我把我的背包丟到銷售櫃檯後方。沃爾克無法向我多透露一些內情，因爲第一個顧客已經進門了。一個正值青春期的蹺課中學生，身上穿著一件厚重的白色塑膠夾克。他正拿著沒有功能的空殼樣品機，測試著各機種的重量。假如他想動歪腦筋，他也將不是我們店裡第一個這麼白目的小偷。

「啊，西蒙？」沃爾克擺出一副和顏悅色的樣子提醒我。

「嗯，怎樣？」

「你現在要上去找主管了嗎？」

我說：「很樂意。」然後向他舉起我的中指。那個資質不佳的蹺課學生，在一旁忍不住偷笑。

我嘆著氣上了兩層樓梯，但是並沒有走向女主管的辦公室，反而走進了員工休息室。我把門推開，用手指在牆壁上搜尋電燈開關。霓虹燈管閃爍了幾下便亮了起來。室內飄著垃圾的霉腐味和冷卻的菸味。奇怪，這裡還沒有人進來過。我讓窗戶呈傾斜角度開著，替自己倒了一杯咖啡，然後在一張藤椅坐了下來。

當我把手機放在沾滿汙斑的桌上時，鈴聲響了。螢幕上顯示著寶拉的名字。我沒有接聽。我喝了一口咖啡，隨即又吐了出來，因爲味道就像阿爾巴尼亞兔子放的屁。可能是星期六剩餘的咖啡！我把咖啡壺擱到一邊，做了三次深呼吸，然後拖著自己到樓上的貓頭鷹辦公室。她的辦公室門只是半掩著，我聽見裡面的聲音。噢！哈！貓頭鷹有男性訪客！說也奇怪，我甚至覺得訪客的聲音很熟悉。我又深呼吸了一口氣，擺出冷冷的銷售員微笑，然後推開了門。當我看見裡面的臉孔時，這整棟樓的所有樓層，立即倒塌崩坍在我那雙沒有擦拭的愛迪達運動鞋下面。貓頭鷹面前，坐著那兩個上西班牙語課的水泥臉。然而，他們這一次穿著警察制服。

「啊！」螟特說著。

「哈！」哺猴德奸笑著。

「噢！」我說著。

我的女主管什麼也沒說。

我用手摸著一把椅子，好讓自己坐下來，因為我感到內心一片黑暗。我的膝蓋軟到快要化為泥漿，而且我的腦袋突然嗡嗡作響，好似一座發電廠。莫非這就是人們所說的耳鳴？我小心地坐了下來。

「喲，尼爾斯，下了課之後還玩得高興嗎？」螟特問我。

貓頭鷹抬起頭看我。她皺著額頭疑問著：「尼爾斯？」

我不敢相信，我上禮拜去了一堂無聊的西班牙語課，竟然就坐在兩個條子旁邊。我要控告那個禿頭胡利安，因為他在課堂上沒有教我們敘述自己的職業！

「您知道為什麼我們來這裡嗎？」螟特問我。

「或許是來抄功課吧？」我卑鄙地笑著。他們兩個忍不住搖搖頭。

「有沒有其他比較機靈的點子？」哺猴德問我。

「寬頻上網有問題？」我猜著。

「至少猜到和電話有關係，不錯不錯！」哺猴德確認著我的回答，而貓頭鷹又只是瞪著她的辦公桌，拿著筆在簿子上塗鴉。

「我不知道！」我坦白承認了，因為這顯然才是這兩個笨蛋想聽的答案。透過辦公室的百葉窗，我看見瑪西雅穿著星巴克的工作服。她還是像往常一樣打著奶泡，只是這一次她顯得比以往更遙不可及，幾乎是在另一個時空。《太空突擊隊》裡的鐵船長是否也遇過這樣的

情況？貓頭鷹把筆擱在一旁，站了起來。嗚！現在我有得受了！

「西蒙，我上次告訴你，你必須把那個八歲小女孩簽的手機合約作廢掉，我並不是要你去闖空門，而是要你去和她的父母親溝通！」

原來是這一回事。我早就忘得一乾二淨。

「我用我的方式處理了這件事。」我替自己辯護。

「我必須提醒您，」水泥臉條子蟆特打斷我的話，「您是這場刑事訴訟的被告，此刻還無須描述作案經過！請出示身分證。」

這是什麼措辭？刑事訴訟的被告？難怪他們學西班牙語困難重重。他的德語有人聽得懂才怪！我惱怒地從褲袋裡掏出皮夾，在裡面翻來翻去找我的身分證。在四張錄影帶出租店的會員卡、一本理髮院的折價券後面，我找到了身分證，然後交給蟆特。

「您有律師嗎？」蟆特問我。

「我需要律師幹嘛？我自己也會講話，不需要陌生人幫忙！」

「那麼您就自己看著辦吧！」他嘀咕著，然後把我的身分證直接拿在厚重的眼鏡前。

「已經過期三年了，但是上面印得一清二楚：西蒙．佩特斯！」他大笑。哈哈哈哈！原來這就是警察式的幽默。我自問，身分證過期到底有什麼好大驚小怪。

我迫不及待想把事情解釋清楚。可是因為我的腦袋裡亂成一片，所以我只有能力說出

「我……」而且這個字被我結結巴巴地連續說了好幾遍，直到條子哺猴德打斷我的話。

「我們就從頭開始吧。您今天早上人在哪裡？」

「在家裡！」

「我們也去了你家。為什麼您沒有開門？」

「我以為是來收垃圾的！」

「說話小心！」

「現在到底問題在哪裡？我眞的搞不懂……」

「問題就在這裡！」水泥臉條子蟆特奸笑著，接著把一卷錄影帶放進貓頭鷹辦公室裡的放影機。

我提出一個完全是廢話的問題：「這是什麼？」因為螢幕上閃了一會兒白雪和滿天星之後，我就已經知道那是什麼：我的錄影帶。我把合約和手機摸走的那個晚上，我被屋內走道上的監視攝影機錄影了。綠色的畫面，讓我想起CNN新聞台播報第一場伊拉克戰爭的炸彈攻擊畫面。可惜相比之下，CNN的畫面品質好多了。四對眼睛一起瞪著螢幕。畫面中，我正醉醺醺地在走道上，隨著瑞奇馬汀的多和弦音樂鈴聲又唱又跳。那兩個水泥臉警察，完全不懂得克制一下臉上的奸笑。貓頭鷹眼神呆滯地望著窗外。她顯然已經看過這段影片。

「臀部搖得好！」水泥臉條子哺猴德說。

「這是有史以來，第一個可以充當翹臀騷莎舞教學錄影帶的犯案證據！」他的同事蟆特開著玩笑說。喔，我快笑死了，你這個混蛋。

「佩特斯先生，您仔細看，最精采的段落出現了！」

在「最精采的段落」，我以射擊姿勢拿著我的手機，站在書房的門邊大喊：「FBI！站住別動，他媽的操你娘，我是警察！」接著以誇張的動作把門踢開。

「我們非得把整個影片看完嗎？」我哀求著。

「嗯，我們兩個，還有我們的其他同事總是百看不厭！」哺猴德高興地說。

早知道，我眞應該在西班牙語課上好好修理他們這兩個白痴。

「唉，西蒙！」我的女主管嘆著氣。「你怎麼老是搞出這種狗屎名堂？

「我怎麼曉得有攝影機會把我錄下來！」我反駁著。貓頭鷹從座位上站起來。在她一向蒼白的臉頰上，泛出了淡淡的紅暈。

「再怎麼說，你也不能在深夜闖入客戶家裡偷手機！」

「我沒有偷任何東西。我把手機買了回來！我在桌上放了一塊歐元！」

「就算您放了一千塊歐元，仍然是破門竊盜的犯罪行爲！」哺猴德插嘴干涉。

「這不算是破門竊盜案。屋門並沒有上鎖。」我抗議著。「您到底是從哪裡知道我在這裡工作，在T點銷售服務站？」

哺猴德嘆著氣翻了一下白眼。

「首先，那天晚上您在電話答錄機上打著飽嗝說：『電信公司。我們爲您服務！』然後我們把留言放給見過您的小女孩烏麗克聽。上禮拜，我們在西班牙餐廳『強尼圖里斯塔』還遇見了您。」

被認出一次就已經夠了，我這個大笨蛋竟然還被認出三次。

水泥臉條子哺猴德按了放影機上的停止鍵，拿出錄影帶。他說：「不管如何，剩下的問題我們等一會在看守所裡問！」

「什麼意思……看守所？」我那顆七上八下的心臟，在這時終於滑落到牛仔褲上。

辦公室內的每一個人，似乎對於到看守所接受盤問這一回事感到理所當然，所以沒有人回答我。或者是我突然變成了隱形人？或許我甚至已經不存在了？我咬了一下我的手臂，雖然很痛，卻讓我大大鬆了一口氣，因爲我顯然還存在。但是去看守所呢？我這輩子還不曾在看守所待過。我必須坐牢嗎？如果是，要坐多久呢？幾個禮拜前，我在電視上看到有關某監獄的報導，讓我留下很差的印象。譬如廁所的馬桶沒有馬桶蓋，諸如此類的事會令我抓狂。

哺猴德和蟆特起身離開座位，我很慶幸沒有被他們戴上手銬。

「接下來呢？」貓頭鷹問。問得好。我也想知道。

「我們帶他到看守所做筆錄。如果一切沒事，下午您的員工就可以回來。」貓頭鷹沉

默地點點頭，然後看往窗外。我似乎覺得她有些可憐。接著我便隨著哺猴德和蟆特走出辦公室。我們走下樓梯時，弗里克正迎面而來。當他看見我跟穿著警察制服的哺猴德和蟆特在一起時，他目瞪口呆到合不攏嘴。

「弗里克，你還好吧？」蟆特說。

「這……？」弗里克問。

「好弟兄，你很快就會再見到你的同事。」蟆特大笑著，平易近人地敲著弗里克的肩膀。非常好！此刻的弗里克簡直就像一根鹽柱。我沒見過有人模仿鹽柱如此維妙維肖。

眞是何其有幸，我這輩子第一次坐在警車的後座。車內沒有人說半個字，只有警車鳴笛偶爾發出尖銳的響聲。車窗外，這個灰茫茫、幾乎不眞實的科隆市正飛馳而過。在一個十字路口上，一對滿面笑容的情侶正提著一個耶穌降臨節花環過街，想必是把這個花環帶回他們的愛巢。然後他們將一起等待第一個耶穌降臨節，點燃一根蠟燭，而且說著一些諸如此類的話：「噢……又到了第一個耶穌降臨節了，這一年過得可眞快。」這種事眞讓我噁心想吐！雖然警車在這個紅綠燈下停了很久，可是這個都市仍舊繼續飛馳，仍舊不斷流逝，連同那些

醜陋的戰後建築物、每個城市必有而了無新意的服飾連鎖店，以及也是每個城市必有的匆匆行人。他們總是必須趕往某個地方，不曾片刻停步駐足。所有這一切都在車窗外流逝，彷彿黃粱一夢。夢中，我根本來不及出現。我彷彿被人趕出了這個社會，就好比玩「大富翁」遊戲，我不是必須休息一回合，就是被淘汰出局，直到我擲出三次點數六爲止。可是我沒有骰子。那就玩「人頭還是數字」，假如我贏了，我便可以回家，一切都將沒事。假如我輸了，我就必須坐牢。就像「機會」牌中的「立刻入獄」！拉拉也會在監獄裡打掃嗎？如果我坐牢，或許也可以就此擺脫那個男同志健身中心的會員合約。

我們彎進一條通往中庭的車道，然後停在其他許多警車旁邊。接著我又必須走上樓梯。這裡的樓梯看起來和T點銷售服務站裡的一模一樣。我被帶到一個戴著大眼鏡、心情不佳的胖男子前面坐下來。他把我所有的描述，鍵入一個髒兮兮的電腦內，而且這當中他只看了我兩眼。我像是被催了眠似地回答了所有問題，然後這個胖子告訴我一些檢察單位以及提出訴訟的相關事情，還說我將被傳訊出庭，必須有繳交罰金的心理準備。我問他我會不會入獄服刑，他說應該不太可能。我說「還好」。我又回答了幾個問題之後，便獲准離開。我走時說了「再見」。

☠ ☠ ☠

因爲我步行，所以我需要將近一個鐘頭的時間，才能回到T點銷售服務站。走了將近一個鐘頭，結果卻遭到炒魷魚的下場。

「我很抱歉。」貓頭鷹嘆著氣說。我覺得，這整件事對她的打擊更甚於我。

「西蒙，這並非我的決定。在這個時候，我眞的無法幫上忙。」

我說：「我知道。我也很抱歉。」

「你要好好照顧自己。」貓頭鷹懇求我。「去度個假散散心，好好思考一下。」

「我才剛度假回來沒多久！」我說。

「那麼你就去西班牙的醫院看看你妹妹，她現在正需要你！」

「沒錯！」我說。「我可以去那裡……」

「喔！對了，西蒙，」貓頭鷹又嘆著氣說：「我們保持聯絡，好嗎？」

當然。

我從椅子上站起來，並且說：「嗯，那就這樣……」

我問我自己，我應該把她推倒在椅子上，還是應該擁抱她一下。我什麼都沒做。我只是離去。

我有如闖空門的小偷，躡手躡腳地走下通往後門的樓梯。我不想在這種光景之下撞見弗

里克。我只想回家。

☠ ☠ ☠

我站在我的公寓前，按了標示著「西蒙．佩特斯」的門鈴。我按了兩三次，可是沒有人應門。我失望地離開，思索著直到「我」回到家之前，我該做什麼。

走了幾公尺之後，我停了下來，而且屏住呼吸。西蒙．佩特斯就是「我」啊！或許我眞的應該立刻再出外度假。我若有所思地走回公寓，打開入口大門，搭了電梯上五樓。我彷彿靈魂出竅，因爲我就站在「我」旁邊，看見我自己把鑰匙插入鎖孔，打開家門，進入屋內。哈囉？這是我嗎？我又捏了自己一下，感覺又很痛。所以我是「我」沒錯。可是我也是那個剛才捏了「我」的人嗎？不論我做什麼，總覺得像是隔了一層紗那樣不眞切，彷彿有人把我裝在容得下電視機的大箱子內，用好幾層泡棉膠帶綑起來一樣。我小心翼翼地讓我的背包輕輕落地。我必須洗個手，而且趕緊上廁所。可是我沒有力氣。於是我只好在珍妮朗特單人座沙發上慢慢坐下來。在我旁邊正是《不煩惱，活下去！》這本書。我抓起書，隨便翻開一頁。

如果您有一顆檸檬，那就將它榨成檸檬汁。

噢！假如我早兩天知道這句屁話，這一切就不會發生了！我把這本「檸檬書」朝著電漿電視的方向扔去，給自己點燃一根菸。

19 螢火蟲纜車

在「義式煙燻火腿佐箭菜醬料披薩」的包裝盒背面，印著這是甜蜜的居家生活！我繼續讀。讓您享受精心挑選的上等材料。保存原味的獨特烘焙方式，賦予了麵皮特別新鮮的口感和鬆脆。

這個披薩幾乎讓我良心不安。我眞的可以買這種獨到而口感絕佳的食物嗎？甚至還把它吃掉？獨自一人享受？這家產品製造商既然嘔心瀝血地挑選原料，而且以獨家方式烘焙，難道沒有篩選消費者的權利嗎？說不定製造者已經失眠了好幾個禮拜，因爲他最新發明的保存原味烘焙法，尚未賦予麵皮特別新鮮的口感和鬆脆，偏偏就在這時候，我卻出現了！我拖著腳步進入超市，在完全不懂製造商的苦心、也匹配不上這種美味珍饈的情況下，一口氣把庫存僅剩的這六盒新革命披薩放進購物車內，然後秘密運回我的公寓，準備暗自一個人大快朵頤。

「我很抱歉！」我大聲說。

接著，我便把庫存僅剩的這六盒「義大利煙燻火腿筍菜醬料披薩」，放進冰箱冷凍櫃，並且把第二個購物袋擺到廚房置物架上。我還買了七包菠菜口味的冷凍「老饕魚排」。我謹慎地把門關起來，細心地將這兩個購物袋折疊好，放進從下方數來的第三個抽屜，和其他的購物袋擺在一起。我把一顆檸檬放入水果籃。此外，我還買了保久乳和兩盒玉米片。包裝盒上宣稱內有驚喜。我內心期待想知道是什麼驚喜。我把廚房的電燈關掉之後，便走進昏暗的客廳。才傍晚五點多，天色就黑了。這在十二月初稀鬆平常。我拉開百葉窗的葉片，讓自己能看得見街景。興奮的行人匆匆忙忙在街上穿梭，空手或拿著手提包的皆有。一個穿著紅色大衣的金髮女孩，站在麵包店前一邊抽菸一邊講電話。天曉得，或許她正和同班的某個好男同學相約出去？這時，我抽菸的興致也來了。我放開百葉窗上的手指，摸著找我的香菸盒。接著，我小心地栽進單人沙發裡，吸著一口又一口的菸。

與世隔絕，是我自己開的一帖處方，也可以用來形容我所下的決定。除非有特殊狀況，否則我再也不會離開家門一步。出門根本就毫無意義可言。我已經丟了工作，朋友們正在生我的氣，而且我也破產了。手機被我關了，電話線被我拔掉了。就連想要把垃圾桶擺到後院的垃圾清理員，也無法再聯絡到我，因爲門鈴也被我拆了。我需要清靜。需要很多清靜的時間。我必須好好反省一下。不對，我必須先把情緒調整到有能力思考反省的階段。最重要的食物和香菸，我已經買得夠多了。我不禁對自己的想法感到好笑。香菸最重要嗎？我猜可能

不是。什麼東西最重要呢？我自己嗎？世界和平嗎？還是讓披薩麵皮特別鬆脆的獨家烘焙方式？

我把香菸捻熄，走進廚房。快要六點了。等到六點時，我就要預熱烤箱，準備烘烤我的披薩。我和自己約法三章，在這個步驟之後，我才可以打開一瓶紅葡萄酒。從現在開始，我每天的作息都要如出一轍：早餐吃玉米片，午餐吃「老饕魚排」，晚餐吃披薩。如此一來，我至少不會因爲一些無意義的想法而分心，譬如想著：「嗅……我今天要煮什麼才好？」

現在已經六點了。我很高興，因爲這表示我可以預熱烤箱了。一個小時之後，我吃了我的披薩。果然好吃，麵皮的口感確實很鬆脆，可能歸功於保存原味的獨特烘焙方式吧。我把滿是碎屑的盤子拿到廚房裡，然後開了一瓶紅葡萄酒。我無法全部喝光，因爲才喝了半瓶之後，沉重的疲倦感就向我襲捲而來，迫使我上床就寢。棉被甚至都還未拉到頭部，我就已經睡著了。

☠ ☠ ☠

我夢見自己坐著螢火蟲纜車，前往一個名叫「大草帽」的島嶼。我將在那裡展開我的新工作。螢火蟲纜車沿著黑暗的大海上方滑行，猶如一條望不見盡頭的聖誕燈飾鏈。纜車的

車廂搖來晃去，我非常害怕自己連同車廂一起墜毀。我根本睡不著，因爲螢火蟲的亮光有如燈火一般輝煌。也因此，我可以看見坐在我前後車廂內的人。坐在我後面的是弗里克。在他的車廂外，掛著一條藍色的夏爾克足球隊球迷圍巾。他正在睡覺。寶拉則在我前面的車廂內講電話。我向她揮手，可是她忙著講電話。我眞希望手邊也有一支電話，那麼我就可以打給弗里克，爲丹耶拉的事向他道歉。或者打給寶拉，問她這趟車程還有多久才結束。她一定曉得。因爲我急得想上廁所。而且我還想知道車廂可不可以吃，因爲它的材質看起來簡直和披薩麵皮沒有兩樣。我剝下一小塊，放進嘴裡咬。口感很鬆脆。我就知道！

☠ ☠ ☠

我醒過來了，因爲我急著想上廁所。現在才早上六點鐘。當我又躺回床上時，我再也睡不著了。眞可惜。我好想繼續坐一小段螢火蟲纜車，嘖嘖有聲地啃我的車廂。將近七點時，我終於下了床，坐在我的單身沙發上。我把早餐時間定在八點，所以我還有時間。我點燃今天的第一根菸，看著屋內四周。我發現，客廳的布置不但不舒適，還有些隨便無所謂。看得出屋主根本不在意。沒錯。是「我」布置了客廳，可是我並不眞的感興趣。這是頭一次我刻意觀察著客廳。銀色的落地燈。其實好醜。還有那兩張肉色的皮沙發，擺在廣告公司的接待

室裡，比擺在自家客廳內更合適。牆壁油漆閃耀著醫院的慘澹白色。想找出一株植物是白費力氣。海報或者畫作呢？別傻了。我一直都沒有察覺到這些地方，或許是因爲我的超大型平面螢幕總是不斷播放著畫面。這個家沒有特色，沒有個人色彩，冷漠有如一間附有家具的都市小套房，讓那些來科隆參展的日本人租住五天之後便離去。只有我已經在這裡住了三年，其間連一個日本人都沒來過。

擺著超大型電漿電視的角落旁，還一直放著我盜用菲爾的信用卡買來的全能健身器。我連箱子都還沒拆開。奇怪了，菲爾這幾天都沒有消息。或許他已經棄我於不顧。這樣也好，那麼我就不必把錢還給他了。我把菸抽到底，然後走進廚房拿一把刀子。我用這把刀子小心地把箱子打開，細心地將所有組合部件擺在一塊。我把說明書放在這些部件的旁邊。接著我便開始組裝。有一次，我不小心把編號24C和11A的部件拴在一起。我並沒有生氣，只是又將這兩個鋼管拆開，重新查閱說明書。當我組裝著編號30C的零件時，我突然勃然大怒，因爲我又想起了那個擺著沙發的ＩＫＥＡ貨架號碼。將近兩小時之後，我完成了組裝的工作。這台全能健身器，比我想像的小型。可能是因爲在電視廣告上，這台健身器在矮小的羅禮士身邊顯得特別巨大。我把剩下來的包裝物綑在一起，放到我的陽台上。然後我才開始吃早餐。我吃了一小碗玉米片。我一邊吃，一邊翻來翻去找著包裝盒內的驚喜。什麼都沒有。連一點最小的驚喜贈品都沒有。這種事讓我很憤怒！如果他們沒有在裡面放贈品，怎麼可以在

包裝盒上印出「內含驚喜贈品」的字樣！省去驚喜贈品，可能只是那些鴨霸的玉米片廠商想出來的小伎倆而已，其實背後隱藏著奴役未成年消費者購買的大計畫。將來他們甚至變本加厲，盒子裡再也不裝玉米片，反而裝上玻璃棉或者稻草。即使如此，仍然不會有消費者敢吭一聲。我火大地離開廚房餐桌，又走進了客廳。

我眞的不知道現在該做什麼。我的腦袋仍舊一片亂哄哄，根本還無法進行思考。於是我從窗戶往下方的商店街望去。一輛咖啡色的UPS快遞大貨車，停在麵包店和Levi's牛仔褲專賣店之間。不知是送牛仔褲還是麵粉來？我還無法確認，貨車就開走了。我在單人沙發椅坐了下來，思索著自己是否感到悲傷。

答案是：我不知道。

牛仔褲。UPS剛才一定是送牛仔褲來，因爲沒有人用UPS快遞寄麵粉。我又站了起來，再往窗外看去。果然！一個女銷售員正在整理新到貨的牛仔褲。我滿意地點點頭，又坐回沙發上。

一直到午餐的這段空檔，我以整理書架消磨時間。我將書籍依主題分類。我把我的勵志書《不煩惱，活下去！》翻到有關檸檬的那一頁，然後放在沙發旁邊。我發覺自己擁有很多國家的旅遊指南，而我根本還沒有去過那些地方。這些國家的國名，大多以S開頭。我甚至還發現了一本有關加勒比海島嶼的書，便另外置於一邊。說不定書裡也有一些關於「大草

帽」島的描述。總共有十一本書和我以前的工作相關。我把這些書裝進一個塑膠袋，然後拿到陽台上，擺在全能健身器的包裝紙箱旁邊。接著我開始預熱烤箱。午餐是菠菜口味的「老饕魚排」。等到烤熟，簡直過了半個世紀，可是吃起來的味道只是普通而已。另外我也注意到，我忘了買些配料。午餐後，我抽了一根菸，又往窗外望去。我可以料想退休老人必須設法打發一整天時間的那種感受。不過，我還沒有必要把一個枕頭墊在手肘底下。還沒有到這種地步。

「還沒有到這種地步！」我小聲地自言自語。

在Levi's牛仔褲專賣店隔壁的麵包店內，兩個女店員正用一瓶聖誕白雪噴漆噴著櫥窗。她們一共噴了八顆星星，還替櫥窗的框邊噴上白雪。在櫥窗內面，她們掛上一條繫著許多聖誕老人的燈飾。我並不怎麼興奮，因爲這樣一來，我很難看見麵包店內的動靜。我失望地坐回沙發。其實我可以試試全能健身器的功用，可是我提不起興致。或許是因爲我剛吃飽的關係。我考慮著該不該開一下手機，看看有沒有人想和我講話。可是我過於恐懼沒有人想和我講話，所以還是關機爲妙。我對自己的隱居生活開始產生懷疑。接下來的日子，我要怎麼過？難道眞的再出去度假嗎？我才剛度假回來，而且累得像條狗。況且我若想出國，還必須先到警察局報備，因爲我目前算是破門行竊手機的嫌疑犯。我根本不願再多想這件事。我必須先清靜一陣子。

而想要清靜，最好選擇自己熟悉的環境。爲了轉移我的思緒，我把所有我能找到的毛巾塞進洗衣機，將溫度調至六十度。有四種額外功能可供我選擇：預先洗程、預先浸泡、快速洗程，以及去除汙點。我一點也不曉得有這種「去除汙點」的按鈕。有效嗎？我又打開了洗衣機的滾筒門，拉出一條白色毛巾，在上面倒了一點昨晚喝剩的紅葡萄酒，然後又塞回洗衣機內。接著我倒入洗衣粉，把功能調整鈕轉向「去除汙點」。爲了酬謝自己想出這麼棒的主意，我煮了一杯咖啡，在沙發椅上坐了下來。我一直等到喝完咖啡之後才開始抽菸。因爲我必須節省我身邊僅剩的可用物資。

當我把菸捻熄時，我又興起廚房大掃除的念頭。我從客廳拿了一把椅子，好讓自己摸得到食品收納櫃的最上層。我這幾年堆積下來的東西，還眞是令人不可思議。大部分都必須扔掉，因爲已經過期。我清除一包發油變味的預熟米，保存期限爲二〇〇一年十二月。一個鮪魚罐頭，在二〇〇二年十月過期。一罐清淡口味的老祖母酒釀酸菜，千禧年買的。目前遙遙領先的過期食品，則是一個乾掉的塑膠擠壓瓶，裡面原是「不停舞動的蜜蜂所採的高山花蜜」，依據瓶身上的標示，顯然在一九九九年就變質了。經過了一個鐘頭的檢查，總共清理了六個食品櫃，我的手上終於握著這項「噁心比賽」的冠軍：保存期限爲一九九五年七月。那是「美極」的紅黃色包裝袋「焗烤花椰菜快速料理包」。包裝上面還印著一行「焗烤白花菜也很理想」。來自上個世紀的料理包！每個人都應該見識一下！一九九五年。這也表示，

這包料理包總共跟我搬了三次家！不可思議！不過，我的「焗烤花椰菜快速料理包」更讓我驚嘆叫絕的，是那一小行「焗烤白花菜也很理想」的附加說明。到底什麼意思？這是爲了一種蔬菜而製造的料理包，可是卻對另一種蔬菜也很理想？或者這個料理包倒在任何一種蔬菜上，根本就是去他媽的無所謂？如果是這樣，產品名稱也可以改寫成「焗烤白花菜快速料理包」，然後附加一行「焗烤花椰菜也很理想」。可是廠商之前一定做過市場分析，所以最後才決定以花椰菜做號召，因爲白花菜聽起來似乎德國味太重，可能讓人聯想起二次大戰後的德國、新建的戰後租屋，還有那些清除廢墟的德國女人，在她們重建被炮火夷爲平地的德國之前，必須以白花菜湯振作精神、強固體力。這個在國際焗烤料理包市場名聲赫赫的鴨霸大廠，一時無關痛癢地隨便亂取產品名稱，卻造成一整個國族身分認同的迷失！眞是可惡！在我把這個料理包放到爐子旁邊之前，我把美極公司的烹飪部門電話抄了下來。當我正想以抽菸酬謝自己做了這麼棒的廚房清理工作時，洗衣機向我發出嗶嗶聲，要求我務必將衣物拿出。我把濕潤的毛巾抽了出來，放進一個塑膠籃。令我欣喜的是，紅葡萄酒染成的汙點果然被洗掉了。接著我把所有的毛巾掛在屋內各處，以便晾乾。當我看見時間已到了五點鐘時，我的心情更好。因爲再過一個小時，我就可以替我的披薩預熱烤箱了！

不錯的一天！我感到滿意。同樣的披薩，卻沒有昨天晚上的那麼美味。令我欣慰的是，所幸我事先已經知道這個披薩的味道。這一次，我還喝掉了一整瓶葡萄酒。我坐在沙發椅上

慢慢地喝。我恨不得整個人趕快放鬆下來。可是我的腦袋仍舊理不出一點頭緒。所有的一切都在我四周盤旋飛舞：丹耶拉、弗里克、貓頭鷹、我丟掉的飯碗、那個矮小的男子、水泥臉條子、沒有驚喜贈品的玉米片，還有戰後清除廢墟的德國女人，她們破口叫罵，因爲美極公司把她們趕出一場正在進行的市場行銷會議。我把葡萄酒喝得稍微快一點，以便驅逐這種奇怪的念頭。成功了，而且過了一會我就在沙發上睡著了。半夜三點時我醒了過來，便回到臥室就寢。或許我可以把這個古老的美極快速料理包放在 eBay 網上拍賣？三秒、二秒、一秒，你買到了！嘻嘻嘻，活該。那麼我又有錢可賺了。就是有一些瘋狂的美國德州人，願意花個數百萬美元買這種東西。我很高興，我的隱居生活已經結出了第一批果實。只要進行一點思考，問題自然迎刃而解啊。不需藉助檸檬汁也可以解決。正當我構思著如何處理從 eBay 得來的大筆金額時，睡魔突然出現，露出嚴峻的目光，並朝著我的眼睛灑上一卡車的沙礫。

這是我第二次夢見螢火蟲纜車和「大草帽」島。我的纜車車廂，輕輕在這個迷你小島上下降。一陣溫暖而潮濕的風，掠過被我咬得坑坑洞洞的車廂。車廂兩側大部分都被我啃光了。當我抵達纜車中心時，一隻穿著西裝的墨魚秤了一下我的車廂重量，開給我一張九十二

歐元的帳單，因爲我吃掉了鬆脆的麵皮。我提出抗議，因爲以價錢和品質之間的相互關係來看，我覺得貴得太離譜了。這隻墨魚向我聲明，這個麵皮是以保存原味的獨特烘焙方式製成，所以價値連城。我拿到一台編有車號30C的小型滑板車，然後跟隨一隻體型較小的墨魚前往我的工作地點：一個差不多有兩座車庫那麼大的巨型美極料理包。我們把滑板車停妥，便走進美極料理包內。這隻墨魚留著上唇鬍鬚，身上飄著廉價運動香水的味道。他指著許多工具給我看，遞給我一把鋸子，然後又把鋸子放在樹幹上。牠說：「鋸成兩半！」我點頭，並從中間鋸開樹幹。這隻墨魚顯得很滿意，騎著滑板車飛快離去。沒有多久之後，又有許多樹幹運送到我這裡來，我必須把所有的樹幹切成兩半。我很高興自己的任務這麼簡單，所以勤奮又專心地工作。到了晚上，這隻墨魚又返回我的崗位，評鑑我的工作。牠搖著頭檢視這些樹幹。這時候，連我自己也發現，我根本沒有切到正中央，每個樹幹不是被我鋸得太長就是太短。

「唉，西蒙，」這隻墨魚嘆著氣說，「你怎麼老是搞出這種狗屎名堂？」接著牠便騎著滑板車，嘎嘎作響地朝著螢火蟲纜車的方向離去。我則替自己鋸了一張單身漢座椅。我在這張椅子上坐了下來，而且夢見自己從夢中醒來。

又是早上六點整。我有點氣自己，因爲我沒有睡久一些。這樣子我根本無法好好休養。我覺得自己很虛弱，而且精疲力竭。是因爲我的夢嗎？畢竟我鋸了很多樹幹。我很訝異自己竟然把夢境記得一清二楚。我開始煮咖啡。正當煮咖啡器呼嚕作響時，我走到陽台上觀望後院。我身上只穿著短褲和「艾爾邦迪」T恤，所以覺得外頭好冰冷。儘管如此，我還是等到抽完了菸才進入屋內。一直到早餐時間，我又不曉得自己該做什麼。雖然我可以提前吃早餐，可是這樣一來，午餐之前的時間又太長了。於是我抓起那本教人不煩惱的勵志書。有關檸檬的那句話，我仍舊百思不解。**如果您有一顆檸檬，那就將它榨成檸檬汁。**好啊，接著呢？我把這本艱深的書放回去，因爲看這本書之前，我還需要另一本書——教我如何提起精神讀完這本勵志書。接著，我想到了一個好主意。我開始測量從客廳窗戶一直到廚房外的陽台，需要多少個腳丫子才能到達。赤腳需要三十七個。穿著我的黃色愛迪達球鞋，需要四十一個。我穿上所有的鞋子，不斷重複測量。穿著我的皮鞋，只需要三十九個，穿著我的紅色PUMA運動鞋只要三十八個。非常奇怪，因爲我的每一雙鞋子都很合腳啊！這難道不是製作電視節目的好題材嗎？**RTL電視台的節目現在開始：測量你的家！緊接在節目之後：測量你的家——論壇。**我應該打電話給菲爾，把我的點子賣給他！我走到我的書桌，把

這個點子記下來。

早上八點時，我開始吃我的玉米片早餐。我這次打開了第二盒，可是裡面也沒有驚喜贈品。眞是欺人太甚！如果這些霸道的玉米片早餐製造廠商，眞的以爲睜一隻眼、閉一隻眼的老百姓這麼好欺負，那麼他們自己是瞎了眼。我打開我的手機，將簡訊的選項定在「傳送至通訊錄中的所有號碼」，然後輸入：「當心！沒有驚喜！」我按下「傳送」之後，又把手機關掉。我清理著洗水槽內的髒碗盤，又走到陽台上對著後院大吼：「沒有驚喜！」如此一來，我可以警告更多的人，要當心鴨霸玉米片廠商的陰險伎倆。或許在這棟大樓的這麼多套房之中，正好就住著某個在家樂氏上班的人，因爲聽了我的大吼而良心不安。我察覺到，在我的陽台上可以嗅到麥當勞的味道。眞奇怪。因爲這家麥當勞離我的陽台不止一百公尺！如果「我」在廚房裡煮東西，有人在一百公尺之外還聞得到，那麼衛生局肯定在十分鐘後趕到我家門口。我又進入屋內，無所事事。中午我吃了菠菜口味的「老饕魚排」，味道和昨天中午吃的一模一樣。之後，我站在窗戶邊看著下方的街道，就這樣打發了下午時間。在兩點和兩點半之間，有兩百五十六個行人從街道左邊經過麵包店。有意思！我拿了一個電子計算機，將這個數字乘以四十八，以便計算一天下來總共有多少人。結果：一萬兩千兩百八十八個行人，從街道左邊經過麵包店。我很清楚，這個數字當然不可能正確，因爲幾乎沒有路人在深夜經過麵包店，更別說是從街道的左邊經過了。我思索著實際人數有多少。必須將我的計算

結果扣除百分之五十，或者甚至百分之六十？我決定追根究柢。因爲我無法二十四小時無休無止盯著窗外看，所以我考慮只在每一個小時的前三十分鐘數行人，然後把數目乘以二。這樣一來，我所推算的實際行人數將相當精準，比晚上六點的電視收視率或者選舉得票率等評估更爲精準。於是我拿出一本筆記簿和一隻筆，等著路人經過。下午三點到三點半之間，我數了三百一十二個行人，四點到四點半之間，則有三百六十七個行人。

正因爲我這麼勤奮工作，自然沒有辦法按時吃飯。我必須調整自己的作息，必須懂得變通，而且要能夠非常隨性，說做就做。這是我對自己的期許。於是接近六點數行人的梯次之前，我就已經開始替我的披薩預熱烤箱，六點三十分時把披薩擺到烤箱內（兩百七十七個行人），六點四十五分時吃披薩。所以我在七點整時又可以進行下一梯次的數行人。晚上，我在每半個鐘頭的休息時間內，分別喝了一小杯葡萄酒，而且用粗體麥克筆在客廳的白牆壁上畫上XY軸。枯燥的數字無法呈現的東西，在座標圖上卻一覽無遺：商店打烊之後，行人數暴跌。晚上九點半時，人數首度下滑到低於一百人。難怪所有的商家都在八點打烊，因爲反正也沒有人會上門了。這項資訊，肯定讓德國零售業者願意花上百萬歐元換取。我把這個點子寫在「RTL電視節目企畫案」旁邊。將近午夜十二點時，我試著在休息時間內小睡一下。每一次，我都把鬧鐘的分針往前調到五，好讓自己及時醒過來進行下一梯次的數行人。可是因爲我太興奮了，所以在休息時間內睡不著。凌晨四點五十五分的鬧鐘鈴聲，我並沒有

聽見。我太疲倦了。早上九點時，我在窗戶邊醒來，我身旁還放著行人數字表。一個沒有作夢的夜晚。我伸了伸懶腰，考慮著該不該再進入被窩補眠。如果我在明天凌晨五點鐘繼續數行人，那麼這項評估還是具有利用價值。況且星期三和星期四早晨的行人數量，想必差異並不大。於是我鑽進了被窩，立刻睡著。

☠　☠　☠

我夢見法庭審判在大草帽島上進行。我因爲鋸錯樹幹被判廁所沒有馬桶蓋的三年有期徒刑。就像在美國一樣，這個法庭上也有陪審團，所有成員都是穿著西裝的墨魚。法官則是弗里克。他一邊宣判著陪審團的決定，一邊用藍色的夏爾克足球隊槌子敲著桌面。竇、竇、竇。一而再、再而三地敲著。當我還大聲嚷著自己的無辜時，便顫抖著醒了過來。我把棉被拉到頭上，可是槌子聲仍然沒有停止。好奇怪。我在被窩裡注意著周遭的動靜。我的臥室一如往常，並無異樣，沒有陪審團，沒有法官，沒有電視節目製作小組。雖然我還隱約聽見一些聲音從我的「墨魚夢」傳出，可是我已經看到了現實世界。竇、竇、竇，弗里克法官敲著。無庸置疑，這一次，敲聲來自我家大門。我望了一下鐘，時針指著十。對於法院開庭審判而言，這個時間絕對有可能。我在電視上就曾經看過。於是我盡可能不出聲地爬出了床

鋪，躡手躡腳走到門前。

竇、竇、竇。

我小心地透過門上的監視孔往外望。弗里克站在門外，低頭看著地板。奇怪的是，他並沒有穿著法官袍，反而看起來和平常一模一樣。他手裡拿著一個彩色紙箱。是我的嗎？我又從監視孔瞄了一眼。弗里克仍然表情楞楞地看著地板。我小心地溜回臥室，把自己捲在被窩裡。

「西蒙！你在家嗎？」弗里克沒有敲門就大喊。我點了一下頭。不准說話，還眞讓人心裡發毛。這個可憐的傢伙！跑來找我，卻吃我的閉門羹。他一定很擔心。下個月我再找時間打電話跟他解釋一切。

「西蒙，你搞什麼鬼！」

敲門聲靜了下來。然後我聽見公寓電梯門開了又關上的聲音。謝天謝地！我放鬆全身肌肉，深呼吸了幾口氣。過了一會，我甚至又睡著了，這一次整整睡了沒有螢火蟲的兩個鐘頭。

當我睡醒並拖著自己到蓮蓬頭底下沖澡時，幾乎已經到了吃「老饕魚排」的時間。我

站在淋浴間內將近一分鐘，不知所措地猜測著爲什麼蓮蓬頭今天這麼奇怪，灑不出一滴水。接著我便曉得原因何在，原來我必須轉開水龍頭。洗澡時我忍不住大笑，因爲我突發奇想，心生整垮國際知名美容用品大廠的計策，而且這招狠計竟然在午休時間萌生！也就是我用沐浴乳洗頭！用洗髮精洗澡！幾秒鐘之後，我便發覺毫無差別。哈！誰創造了這個好主意？西蒙！如果大家都跟著我這麼做，也就是故意把沐浴乳和洗髮精的用途互換，那麼在法國萊雅以及其他化妝品公司內部，將會搞得團團轉，然後無所適從地坐在他們的超大型會議室裡，開著一個接一個的危機處理會議。從另一個角度看這件事：假如我放棄這項革命性新發明，和他們和解，肯定會替我帶來一大筆財富。我必須趕緊把我的發明寫下來，以免忘記。當我的皮膚開始腫皺起來時，我把水關掉，踏出淋浴間，站在黃色的踏腳墊上。然後我又轉了身，盯著水龍頭看。到底是誰說洗完澡就必須關水呢？水難道不該流動嗎？就像自然界裡處處可見的流水？難道水不是生生不息的象徵嗎？而生命難道不應該運轉嗎？於是我又把水龍頭轉開。我把身體擦乾，穿上一套糞棕色的愛迪達復古運動服。當我想起自己就是那個必須付水費的人，我又把淋浴間的水龍頭關了。

我走進廚房準備咖啡。那顆「不煩惱，活下去」的檸檬，仍舊躺在我的水果籃內。我考慮著該不該榨一杯檸檬汁來喝。不管怎麼說，這本書好歹是暢銷書，可能對我有所幫助吧。於是我把檸檬汁擠在一個玻璃杯內，加了一些糖和水，便攪拌均勻，倒入我的嘴裡。味道眞

令我噁心想吐。卡內基，多謝你啊！我把杯子擱到一邊，開始爲我的「菠菜口味老饕魚排」預熱烤箱。然後我拖著腳步走回客廳，坐在我的「羅禮士全能健身器」抽菸。我把這項運動稱爲「尼古丁上半身推動訓練」。

十分鐘之後，我把那一大塊冷凍「老饕魚排」擺在烤架上時，像啄木鳥的敲門聲又傳來。

竇、竇、竇。

他們難道就不能在一年當中少煩我一次嗎？我躡手躡腳走到門前，望了一下門上的監視孔。弗里克和竇拉站在我家門口，旁邊還伴隨兩個穿著消防隊制服的男子。他們在搞什麼鬼？又沒有東西燒起來！而且我也把水龍頭關起來了。

竇、竇、竇。

我以電影慢動作潛入我的臥室，輕輕把門關上。然後我蠕動著爬進被窩，採取我最新發明的捲筒型自我保護姿勢。即使隔著棉被和兩道門，我仍然可以聽到弗里克的聲音。他聽起來比今天早上更緊張。

「西蒙，把門打開，你這個白痴！」

另一個男子的聲音叫著：「佩特斯先生，您在家嗎？」我搖頭否認，又把腳縮得更緊一些。因爲我只要聽見穿著制服的陌生男子在門外講話，我就絕對不在家。

「如果您不開門，我們就必須把門撬開！」那些男子說。

我當然不能同意這種作法。我知道我必須做出反應，否則事態會變得更嚴重。我把我的頭往被子裡鑽，然後用力尖叫：「沒——有——失——火！」

這招奏效了！一片寂靜。接著弗里克又喊了一次：「西蒙？」又竇、竇、竇地敲著門。幾秒鐘之後，我聽見有工具咯吱咯吱地摩擦著，然後某樣東西發出尖銳刺耳的雜聲。我馬上便感覺到弗里克的聲音離我好近。

「西——蒙！你在裡面嗎？西蒙？」

其他男子又喊了一遍：「佩特斯先生？」

我僵硬地躺在床上，就像一塊裝在錫箔烤盒裡的冷凍「老饕魚排」。只要我安靜無聲、動也不動，這些喊著我名字的聲音或許就會消失吧。爲了保險起見，我乾脆也不呼吸了。

「烤箱正在烤東西。」我聽見寶拉說話。弗里克嘆著氣說：「那他就一定在家裡！」

我仍舊屏住呼吸。我還可以多忍幾秒鐘。他們根本就找不到我。接著有人掀開我的棉被。我看見弗里克和寶拉驚愕的臉孔。

「怎麼樣，你們還好吧？」我笑著問，彷彿我在午休時間遇到他們兩個。接著，弗里克打了我一巴掌。

終於！

20 超級智障

一股抑鬱的沉靜，籠罩著我的小廚房。我和寶拉坐在餐桌前。她坐著抽菸，而我只是呆坐著。唯一傳入我耳裡的，是廚房裡的鐘聲。

喀啦、喀啦、喀拉。

每一秒鐘都像是一記耳光。我的目光穿過寶拉、穿過寂靜的空氣，望向昏暗朦朧的虛無。如果不是我知道自己正坐在廚房裡，而且對面坐著我最要好的紅粉知己，我眞的會打賭「我」根本不在這裡。

喀啦、喀啦、喀拉。

我眞希望一秒鐘就是一個星期，那麼一切肯定將更快好轉。或許弗里克又會回來賞我一記耳光。可是他立刻帶著那兩個穿制服的消防隊男子離去了。留下來的是一個彩色紙箱、一張消防隊開的三百歐元帳單，還有寶拉。她穿著鑲著晶亮珠片的白色無袖上衣。上面印著「邁阿密海灘」的英文字。有何不可？聽起來總比「煉鐵廠都市」好多了。

我完全不曉得自己該說什麼才好。然後寶拉把她的椅子挪正，深呼吸了幾口氣之後便說話了。

「這就是你想像中的三十歲生日嗎？」

「什麼？」我茫然地問著。我驚愕不已地瞪著寶拉。

喀啦、喀啦、喀拉。

我跳起來打開我的手機。過了彷彿永無止盡的數秒鐘之後，螢幕上大剌剌顯示出十二月十四日。無庸置疑，這是我的生日。

我只說了「噢！」等閒視之的反應非常不識相。我搔了搔頭，看著寶拉。她注視我的神情，彷彿我是剛從抽油煙機爬進廚房的外星人，而且現在正蹲在陶瓷玻璃烹爐上。

「不是吧？真的嗎？」我嘆著氣。

「真的！」寶拉說著，然後站起來給我一個擁抱。我把手機放到一旁，也用力地抱緊她。

「生日快樂！你這個蠢蛋！」她在我耳邊輕聲細語地說，而且聲音顫動得很奇怪。這時候，我的手機簡訊有如排山倒海而來。

嗶、嗶、嗶……

我的思緒紛飛，我的脈搏狂跳，而我的胃也不舒服。「三十歲！」我嘆息著，然後放開

寶拉，又跌坐在我的廚房座椅上。

「三十歲！」寶拉點點頭，也坐了下來。

我又抓起我的手機，看到十四通來電未接的顯示，還收到二十多個簡訊。我按了其中一個簡訊，是拉拉傳來的：明天需要我打掃嗎？你都不接電話。也祝你生日快樂！拉拉。

我的腦海中，浮現出拉拉抬高一個超大型生日蛋糕的畫面，因爲她正在蛋糕下方吸塵。

寶拉打斷了這個無意義的念頭。

「西蒙！我們眞的爲你操心！我、弗里克，還有……菲爾，我們……呃……我們甚至還想過最壞的可能性！」

「喔，改到沃達豐電信公司工作嗎？」

「白痴！你明知道我的意思……！」

「撞火車自殺嗎？別擔心。光是丟了飯碗、去他媽的找不到女人，還有財稅局馬上要讓我家徒四壁，我還是不會傻到輕生！」

「那就好！」

我點燃一根菸，深深吸了一口。

「你傳的那個『沒有驚喜』的簡訊，到底是怎麼回事？弗里克和菲爾也覺得很驚訝。」

「那是警告！」我說。

「當然當然。」寶拉諒解地點點頭。我很慶幸，至少還有寶拉了解我。我想站起來，可是我覺得有些虛弱，就像八〇年代金頂電池廣告片中的那隻蠢兔子，在最後幾公尺時委靡不振，因為它的肚子裡塞了別家的狗屎爛電池。我用左手摸著我的肚子。難道裡面也有一顆狗屎爛電池？我突然又想起自己的生日。

「三十歲了！」

「這算什麼，還有更慘的！」寶拉試著安慰我。

「有嗎？是什麼？」

「四十歲！」

「這個笑話讓我好冷！」

一絲穿堂風吹進了廚房，砰砰作響地打著家裡大門。我以慢動作鏡頭的速度站起來，準備把門關上。我還是覺得整個人虛弱無力。可不可以幫我在肚子裡裝一顆金頂電池？家裡的大門無法關上，因為鎖頭被撬出來了。眞棒啊！我把門盡量壓上，而且扔了幾雙重量不輕的鞋子擋著，讓門不要跳開。然後我又回到廚房，以評判的目光望了一下烤箱。「老饕魚排」已經烤得酥脆焦黃，可以吃了。可惜我一點也不餓了。

「烤好了！」我單調地說著，然後打開烤箱，戴上「霸子・辛普森」的黃色防熱手套，準備拿出烤魚。寶拉絲毫沒有反應地坐在椅子上，觀察我的一舉一動。很顯然，我在她眼裡

眞的像外星人。一個瘦巴巴而且肚子裡塞了狗屎爛電池的白種外星人……

「我們帶了禮物給你！」寶拉一邊說，一邊舉起那個彩色紙箱。我讓火燙的錫箔紙烤盒輕落在盤子上，然後脫去手套。

「給我的嗎？」

「當然是給你的！弗里克、菲爾還有我一起送的！」

「你們送禮物給我？」

「你過生日啊。而且我們是你的朋友。生日加上朋友，就等於禮物，至少絕大多數是這樣！」有道理。於是我拿起這個鞋盒一般大小的紙箱，坐下來拆開。我撕去包裝紙，把蓋子打開。箱子內有一張細薄的白紙，裡面捲著某種藍色的布料。那是夏爾克足球隊的球衣。我把球衣轉到背面，在號碼30的下方並沒有名字，而是印著「超級智障」。

「是弗里克想出的點子！」寶拉辯護著。因爲我呆望的樣子，好像一隻望著特快子彈列車的烏龜，所以她又補充道：「我相信，這是他跟你和解的表示。」

「謝謝！」我說著，便把這件球衣擱到一邊。「這眞的是很棒的禮物！」

「我就知道！」寶拉一邊說，一邊用她的手指敲著「老饕魚排」最上層的酥皮。

「這是我的！」我說著，而且把魚排向自己拉近一些。

接著我用叉子在酥皮上刺了幾個小洞，讓熱氣冒出來。

「我是一個超級智障嗎？」我輕聲問。

「老實說：最近眞的是！」

「眞的嗎？」

「眞的！」

「嗯……」

我們沉默不語了一會。我再次把那件球衣拿起來看，發現背面有弗里克、寶拉和菲爾用粗黑筆簽的名。我嚥了嚥口水，小心翼翼地把球衣放回紙箱內，唯恐它支離破碎似的。然後我望著寶拉。她似乎一直目不轉睛地看著我。

「我現在應該怎麼辦？」我問。「妳可以給我一個『寶拉建議』嗎？一個有效的建議。我的意思是，我似乎……呃……」

「很衰？」

「對！」

「我也這麼覺得。」

「那就……」

我起身走向窗戶。上帝的繪圖部門似乎爲了配合我的心情，特意把後院的天空染成陰沉

沉的灰色。大約離我五十公尺遠的一個陽台上，一個穿著白袍的醫生正站著抽菸。如果我揮手，或許他會看見我，幫我開一張處方，好讓我在藥局買一大桶抗憂鬱症的藥？我又轉身走向寶拉。

「我該怎麼辦？」

「你就不要當超級智障一陣子！」

「噢！很好。這是個好建議！」

「看吧，現在你又是超級智障了！」

「對不起！」

「沒關係……」

我又點了一根菸，設法盡可能一次就吸入大量尼古丁。據說這種毒素只需幾秒鐘就可從肺部進入腦部，進而達到舒緩情緒的功效。我期待著。然而什麼都沒有發生。

「要怎樣做，才不會是超級智障？」

「不知道。你認爲呢？」

「擁抱世界，博愛世人，永遠帶著微笑？」

「超級智障！」

「每天禱告，多吃水果，不把菸蒂扔在兒童遊戲場所？」

「還是超級智障！」

我聳聳肩。

「那我也不知道！妳告訴我！」

「舉例來說，如果你每天能夠有一秒鐘不自私，應該就有幫助。」

「譬如說，我應該借我那輛寶獅給妳嗎？」

「你曉得我的意思！」

「曉得，」我平靜地說：「我猜，我曉得妳的意思！」

我又望了一眼站在陽台上的醫生。他已經離去了。

「你一整天做了哪些事情？」寶拉想知道。

「最主要數了街上的行人，還測量了家裡的長寬。」

一片沉默。

「可是你早就知道你家多大啊。」

「若以平方公尺計算，我曉得。可是用自己的腳丫子測量，我就不知道！」

「噢！」

我們面面相覷。

「西蒙，你今天已經有安排了嗎？」

我搖頭。

「我們今天想和你一起聚聚！」

「和我？」

「對，和你！或者你想在這麼重要的生日當天繼續數行人？」

「其實不想！」

寶拉站起來，從椅背上拿起她的外套。

「這就對了。對於今晚的慶生，你有沒有什麼想法？想去愛爾蘭酒吧嗎？」

我感到不知所措。對我而言，這一切發生得太快了。短短時間內，我必須處理這麼多項訊息：消防隊員、生日、超級智障，然後還有一些人想和我慶生！

「酒吧很無聊！」我說。

「去哪裡才好？」

「我打電話通知妳！」

「好吧。」寶拉說著，並朝了以前還是門的地方走了幾步。

「還有……如果我們因爲你的關係才聚會，你也能夠破例出現一次，我們會很欣慰！」

「了解了。那妳呢？妳現在要去哪裡？」

「去上班。你會通知我聚會的地方嗎？」

「我會通知妳！」我說。

「好！嗯……一切都會好轉的！」

「謝謝你們的禮物！」

我推開門，寶拉又用力抱了我一次，她就離開了。就在這一刻，我決定慶祝我的生日。

21 小黃瓜賽跑

那個矮小的男子是今晚第一位客人。他身邊並沒有黑色公事包，反而是一箱科隆啤酒。我跟他握了手。

「這可真是出人意外！」我結結巴巴地說。

「那當然囉！」這個矮先生笑著，一點也不想鬆開我的手。「您身上穿的是夏爾克足球隊球衣嗎？」

「幾乎是。」我一邊說，一邊注視著這個矮先生試著把門關上。

「壞掉了！」我說。

「竟然有這種事！」在矮先生脫去西裝外套之前，他還說：「我頭一次碰到幾乎被我斷電的人邀請我！不管如何，先祝您生日快樂！」我向他致謝。我們把啤酒箱擺到陽台，然後先開了兩瓶啤酒喝。到底搞什麼鬼？這傢伙怎麼會來我這裡幫我慶生？他又怎麼曉得我今天過生日？沒多久我的疑問便獲得解答：

「嗯，該怎麼說才好……您傳給我的簡訊令我很意外！」矮先生閒話家常著，而且從玻璃缸裡舀了好幾杯弗麗普雞尾酒。

我說：「等等！」便縱身一躍跳進客廳，驚慌失措地找著我的手機。找到了，在單人沙發椅上。我顫抖著按著鍵盤，直到進入「簡訊傳送紀錄」的資料夾。果然，我的邀請簡訊也傳給了矮先生。當我努力查看手機內的「簡訊功能選項」時，一種不祥的預感在我內心油然而生。這個預感馬上被證明與事實吻合。爲了這個臨時起意的小小慶生會，我的邀請簡訊不只傳給了弗里克、菲爾和寶拉，還傳給其他在通訊錄裡的人。很明顯，這根本就是「家樂氏」的錯！假如他們在顏色像稻草黃、吃起來像厚紙板的玉米片裡裝一點小小驚喜，就不會發生這種事了。我火冒三丈地對通訊錄裡的資料逐一檢查。由於大部分是家用電話號碼，所以根本無法收到我的簡訊。但願如此，因爲我在通訊錄裡發現了「科隆市計程車行」。科隆有多少計程車司機呢？一千個？兩千個？光那一箱啤酒，會讓我很難看。

「您還好吧？」從廚房傳來矮先生的呼喊。

「再好也不過了！」我喊了回去。當我聽見走廊上傳出熟悉的「落湯雞咯咯笑」時，我才知道我的謊言有多假。而且就在我跳窗逃生之前，穿得非常妖里妖氣的朵特和裝扮美麗的拉拉已經站在門口。拉拉帶了兩大鍋涼麵來。過度盛裝打扮的朵特，也同樣過度緊張地遞給我兩瓶白葡萄酒。

「酒必須立刻放冰箱，不然溫度會升高，你知道嗎？」這是朵特對我的問候語。很顯然，講完這句話之後，她才又想起來為什麼收到我的邀請簡訊，所以尖聲驚叫著：「唉呀！我的天！生日快樂，西蒙！」彷彿這樣還不夠糟似的，我的臉頰還被她親了一下。

我心有餘悸地收下拉拉的涼麵和祝福之後，便逃向矮先生。我介紹他們三人互相認識，然後放了適合派對的音樂。

門又開了，這一次進來兩個中學時代的老同學。自從上一次同學會之後，我就再也不曾見過他們。

「噢，西蒙，你還存在！」其中一個喊著。我說：「我當然還存在！」我遞給他們兩瓶矮子先生的啤酒，然後和他們閒聊當時教物理的老師。過了幾分鐘之後，就連我的房東、某個我在嘉年華會上認識的一夜情人、兩個T點銷售服務站的顧客都出現了。這時，我放棄了內心的抗拒。我的人生有可能不同於此嗎？絕不可能「沒有驚喜」。我自己就是「莫菲定律」的活教材。任何可能出錯的事，在我身上就一定出錯。這一點，我必須接受。

我的房東向我表達祝福之意。我的嘉年華會一夜情人，問我還記不記得她是誰。我說：「妳是那朵喝醉酒的向日葵，在理容院前的天然石牆旁邊吐了滿地。」我記得沒錯。這朵向日葵嗤嗤笑地點著頭，並且遞給我一瓶日本清酒。接著我們走入廚房。這個慶生會氣氛不錯，而且根本沒有人呆呆站在旁邊一言不發，除了我自己偶爾不說話之外。那個很

訝異我還存在的中學同學，擊了我的肩膀一拳。他一點都沒有改變，只是頭髮比以前稀疏，嘴上的鬍子比以前濃密。他仍舊操著法蘭克區的口音，這個可憐蟲。只是我卻忘了他的名字。

「超棒的邀請，棒極了，眞的！再跟你說一次生日快樂！」

他遞給我一張綠色的卡片，上面註明「送給西蒙，漢納斯與恩諾」。

「打開看吧！」至少我現在已經知道，他們倆其中一人是漢納斯，另一人是恩諾。我把信封拆開，發現一張一年份雜誌的訂閱禮券。雜誌名稱爲《野生動物＆狗》。我從來不曉得有這種雜誌。這位同學帶著充滿期待的表情望著我。

「謝謝，好棒！」我說。

「西蒙，你知道嗎，我就在編輯部工作，所以比較容易買到雜誌禮券。你一點都不喜歡嗎？」

收到《野生動物＆狗》的免費訂閱禮券，我看起來顯然不怎麼興奮。

「怎麼會！當然喜歡！」我說。

「西蒙，如果你想換《魚＆釣魚》或者《藥草＆塊根植物》，沒有問題！」

我搖搖頭說：「《野生動物＆狗》眞的太棒了。」另一個同班同學也走過來，向我提起這是他們兩個合送給我的。我說：「謝謝你們的好意。」並且把禮券夾在我的磁鐵留言板

上。我仍舊不知道這兩個人當中誰是漢納斯，誰是恩諾。我走到陽台上，從幾乎所剩無幾的啤酒箱內拿了我今晚的第二瓶啤酒。不過，我看見另一箱啤酒已經擺在旁邊了。我的房東敲著我的肩膀，問我家裡大門怎麼弄壞的。我說晚一點我會向他解釋，然後微笑著把一瓶白葡萄酒和一把開瓶器塞進他的手裡。在這當中，拉拉檢查了廚房清潔紙巾的剩餘數量。在她身邊還有咯咯笑的朵特和矮先生。我的音響喇叭筒，隆隆作響地傳出「我們是英雄」樂團的歌曲。就在這一秒，弗里克和寶拉剛好走進門內。弗里克一眼就看到我，而且還露出奸笑，因爲我身上穿著他送的禮物。我先擁抱了寶拉，在短暫的猶豫之後，我也擁抱了弗里克。

當他向我恭喜時，他說：「打你那一耳光，我很抱歉，可是你眞的是罪有應得！啊，對了……生日快樂！」

我笑著把他推到旁邊去。

「去拿一瓶啤酒喝，而且閉上你的嘴！」

「在你家的這一群人到底是誰啊？」

「這一群『人』？那是我的手機儲存資料。也就是在通訊錄上的所有對象。」

「所有對象？」

「幾乎。我猜，大部分的人等一下就會到！」

「你眞的很白痴！」

「我有自知之明！啤酒在陽台上。」

果然。愈來愈多人出現在我家裡。來自印度果亞的瘋狂髮型設計師、另一個T點銷售服務站的胖子客戶，以及一個矮小的女調酒師。她以前曾經留過電話號碼給我。後來就連菲爾也突然出現。時間當然已接近午夜十二點，因爲他覺得這樣比較酷。他身上穿著一件皺褶蓬亂的名牌設計師襯衫，因爲這樣比較醜吧。他把一瓶蘇格蘭純麥威士忌塞在我手上，作爲彌補。

「這瓶給你……，或許烈酒可以燒掉你腦袋裡的荒唐念頭！生日快樂！」

我答謝了菲爾，驚訝地注視著標籤。這瓶威士忌的出廠年份和我同一年次，想必非常昂貴。

「謝謝！」我敲著他的肩膀說。

「嘿，不必客氣……對了……其他的事，我們就改天再提好嗎？」

「我也認爲這樣比較妥當！」我點頭。菲爾便轉身離開，向寶拉和弗里克打招呼。之後，他開始接管今夜的音樂播放大權。十秒鐘之內，從動感樂團「完全立體」「瘋狂四人組」換成迷幻舞曲、電子舞曲和迷幻嘻哈樂曲。我問自己，爲什麼我和菲爾從來不曾是知交。照理而言，我們之間這種「大混蛋 v.s. 超級智障」的男性友誼應該沒有阻礙。我的房東漸漸擔心木頭地板被訪客踏壞以及我們太過吵鬧。我又給他一瓶酒，撫平他的不安情緒，並

帶他到廚房。不久之後，他已經受到酒精影響，興奮地和拉拉聊天。凌晨一點時，健身俱樂部的卜派意外出現。他送給我兩個十公斤的舉重槓片。我故意鬧笑話讓槓片摔落在地上，卜派則逗趣地尖聲嚷叫。我向他展示我的「羅禮士全能健身器」，他立刻開始密集試用，起先單獨一人，後來矮先生也一起參與。廚房裡傳來叫聲與落湯雞的咯咯笑。我走過去查看時，菲爾和朵特正朝著我的陽台玻璃門扔小黃瓜片，而且大聲嘻鬧地看著誰的小黃瓜片最先滑落。

「西蒙！你也過來一起玩小黃瓜賽跑！」朵特用獨特而且只有她自己百聽不厭的咯咯聲說著。我從「施普雷河森林」牌的黃瓜罐裡，拿出一整條小黃瓜，用力扔向陽台的玻璃門。

「行不通！」我單調地說著，所有的人起鬨大叫。穿著Polo衫的房東，在酒酣耳熱之下，兩眼已經無法完全直視。我注意到他的手臂搭在拉拉身上。這兩人有發展！可憐的拉拉。她一定還不知道將來要打掃多少房子。畢竟我的房東擁有好幾棟樓房！我嗤嗤笑著走進了客廳。卜派和矮先生坐在角落裡相談甚歡。哈！我就知道他們倆志同道合！當我正想查看菲爾的迷幻舞曲光碟何時播放完畢時，我看見貓頭鷹坐在我的單身沙發上。我感到很意外，因為她是我之前唯一沒有看見的客人。她身上穿著咖啡色牛仔褲和顏色鮮豔的緊身毛衣，腳上是PUMA休閒鞋。除此之外，她和我所認識的貓頭鷹也似乎判若兩人。或者只因為她沒有戴眼鏡，使用的吹風機也少了五千瓦？

「西蒙！我還以為你不想看到我！」她有點潑辣地向我抱怨。我向她走近，在沙發的扶手坐了下來，但是看見我的前任女主管坐在我的單身沙發上，還是覺得有些奇怪。

「首先，祝你生日快樂！」

因為我還一直坐在扶手上，而貓頭鷹還一直坐在單身沙發，我們的擁抱有些費力。

「我之前真的沒有看見妳。」我向她道歉。「妳已經來很久了嗎？」

「幾乎一個小時了！」

現在我知道貓頭鷹不同以往之處！

「妳戴了隱形眼鏡？」

「昨天開始戴的！」

「喔……還有妳剪了新髮型對嗎？」

「昨天剪的！」

我猜測，女人在外表上如果徹底改頭換面，對於任何批評通常很敏感。因此我讚美她現在看起來不再怪里怪氣。

「覺得好像是該改變的時候了。有一點不習慣，可是我覺得比以前舒服多了！」

「拔掉了那一副巨框眼鏡，妳看起來漂亮多了。」我追加補充。

「那副眼鏡，還是我和前任男友一起挑選的！」

那個男人一定很恨她！

「是在你們交往時或者分手以後？」

「你還是老樣子……」

我們走進廚房喝飲料。我小心地問她，我的「手機合約事件」是否還給她製造了許多麻煩。原來，那兩個水泥臉條子又去了她的辦公室一次，詢問了一些問題。除此之外，一切都和原來沒有兩樣。我很慶幸自己從未把這兩個癩蝦蟆的電話號碼儲存在手機裡，否則他們現在可能提著人造皮皮箱、戴著鏡框掉了烤漆的廉價眼鏡站在這裡。我在冰箱裡找到一瓶客人帶來的氣泡酒，便試著用手指撬開。

「我很抱歉這件事情最後演變成這樣，可是畢竟……」

「是我的錯，沒有關係，我知道……」

隨著氣泡酒發出一聲微弱的「啪」，我把軟木塞拿開，然後倒了兩杯酒。

「當你的女主管有時候眞的很吃力！」貓頭鷹嘆著氣說。

「我可以想像。我寧願不要以這種主管和部屬的關係認識妳！」

我們碰杯敬酒。

我又說：「我們相處得不怎麼好。妳總是很……呃……反正就是一副主管的模樣。」

「可是交代你們這些部屬做事，對我來說難道就很容易嗎？」

「想必不容易！」

貓頭鷹發現了那袋過期的美極「焗烤花椰菜快速料理包」。這個料理包仍舊原封不動擺在洗水槽旁邊。

「呃？焗烤白花菜也很理想？」她看著包裝袋問。

「沒錯，」我說，「可以把料理粉倒在花椰菜和白花菜上！」

貓頭鷹搖搖頭。

「這簡直就是荒唐！那麼廠商也可以把名稱改寫成『焗烤白花菜快速料理包』，然後附加一行『焗烤花椰菜也很理想』！」

我望著她，彷彿她剛才宣布了圖林根邦想要把自己的太空站發射到宇宙。

弗里克拿著一瓶啤酒經過我們旁邊，向我眨了眨眼。我設法踢他的屁股一腳，可惜動作太慢了。貓頭鷹噗哧笑了出來，替自己又倒了一杯氣泡酒。

「你一整天都在忙什麼事？」她想知道。「你完全拒接電話。我試著打電話給你好幾次！」

「爲什麼？」

「或許因爲我想知道你好不好！」

「眞的嗎？」

「眞的！」

「這完全出乎我的意外！」

「可是事實就是如此。我知道，我們之前時常互相槓上，可是……呃……工作時少了你很奇怪！」

「哦……！」

「你目前好嗎？」

「過得很慘。我在窗戶邊數著經過麵包店的路人，測量從陽台到客廳的窗戶需要多少個腳丫子。很蠢對不對？」

「在我家裡需要五十六個腳丫子！」貓頭鷹說。

「妳現在是說眞的嗎？」

「我已經自願告訴你，當然是眞的。」

「算是大房子囉？」

「配上小腳丫！」

她舉起一隻腳笑著。我的天！她至少和我一樣瘋狂。

就像我一樣。

我的心竊竊私語著：「你仔細看！」一種熟悉親切的感覺湧上心頭。

貓頭鷹？

「西蒙，你現在仔細看！」我的心怦然作響。好——啦——！！！我已經在看了！

就像我一樣。

就在這一刹那，一種莫明所以的感覺油然而生。一種我不該錯失的感覺。我必須掌握機會，無庸置疑，而且最好刻不容緩。問題只在於：該怎麼做？如果有人在過三十歲生日的當天，內心突然浮現一種感覺，眞命天女終於出現，而且就近在自己的眼前，他媽的會怎麼做才好？

很簡單。鼓起最後一絲收集到的勇氣，立即逃之夭夭。

☠ ☠ ☠

當我們突然不告而別時，當然引起一陣大騷動。可是無知之人的叫罵，關我屁事？或許這聽起來就像西部牛仔片中一句缺乏深度的話，但是有些時候，你就是必須聽從內心的聲音行事。尤其當你在一瞬間徹底領悟了自己諸事不順的原因，而且短時間之內還有翻盤的機會，那麼在清晨五點鐘醉醺醺地離開自己的慶生會，根本就是去他媽的無所謂。

我們到了目的地。我讓我的寶獅緩緩滑行。當車子終於停止不動時，我熄掉引擎，看著

後照鏡。

「珍妮．史朗特，妳這個激情的蕩婦！」

我奸笑著點了一根菸。

「妳並不是吉祥物！」

我把鵝絨夾克的拉鍊拉高，下了車，望著著眼前這片巨大的混凝土地面。如果ＩＫＥＡ的三千個車位當中，不多不少只有一個停放著車，那就堪稱靈異現象了。我、我的黃色小寶獅、我的單身沙發，正占據著這個車位。一陣有如刮鬍刀片般鋒利的冷風，削著我的臉和手。我打開後車廂，小心翼翼地把珍妮朗特單人沙發抬出來。

我關上後車廂的車蓋，以不穩健的短步急走方式，拖著這張沉重的單人沙發經過好幾個停車位。我先溫柔地撫摸著扶手最後一次，然後才拿出汽油。這張單人沙發迅速無誤地吸收飽滿。不過，在柏油路面上用汽油澆寫出我想傳達的訊息，卻因爲冰冷的寒風而困難多了。當汽油桶終於倒光時，我從車內拿出我的數位照相機和紅色打火機。然後我開始點火燃燒單人沙發。最初微弱的火苗，在布料中逐漸擴散，轉眼間便吞噬了扶手和椅背。

爲了照片的品質著想，我爬上我的寶獅車頂取景。當我往下瞭望時，憤怒的烈焰已經熊熊燃燒著單人沙發，剛毅果斷地摧毀令我不幸的根源。就在單人沙發前面，還燃燒著有如網球場那般巨大的字：30C。幾個鐘頭之後，第一批不知內情的中產階級小家庭，就會開著分

期付款的迷你箱型房車，經過這一小堆微不足道的珍妮朗特灰燼。

我總共照了三張照片。最漂亮的那一張，我將立刻在今天早晨寄給那個大鼻子的侏儒銷售員。他和這張狗屎單人沙發，把我的人生搞成了煉獄。我已經有一個匿名電子郵件地址：

金剛芭比男同志@德國同志網。

我被那些矮小的男人抓到了小辮子。準時在三十歲。

歡迎進入單身階段第五期。

推薦

我們也不想這樣

龍貓大王

男性身為地球上當選總統、皇帝，以及各式各樣領導者最多次的人種，想必擁有比起女性更為優越的生理能力與心理狀態。誰能與恐怖分子浴血作戰拯救人質？我們不用打開電視，就能幻想出一個具有渾身肌肉與冷酷線條的硬漢；在陽光普照的海岸公路上駕車出遊，坐在駕駛座上的絕對是有著不輸給陽光般燦爛笑容的清爽男性。男性擁有著優雅、自在、從容等美好的人格特質，遊刃有餘地侵占著人們的既有觀念，用他們偉大的刻板印象在我們的幻想裡當著主人。

常聽人說「少女懷春」，很不幸地，似乎男性才眞的是最會做著粉紅白日夢的性別，也許這一切得多虧他們無邊無際的想像力，才讓男性的形象在虛無的媒體上得到最大的影響效果。諷刺的是，這些修長美好的影像不但掩蓋了男人性格本質上的缺陷，卻同時也刺痛著現

實男性日常與幻想間的落差。爲什麼我不像萬寶路香菸廣告上的模特兒英姿颯爽？爲什麼變成落湯雞的布萊德彼特看起來都比乾爽的我有型？數不清的爲什麼逼我們嘗到更巨大的自卑感，讓我們只能在心態上更爲退縮，「湯姆克魯斯根本就是Gay！」或是更爲向前——戴著毫不在乎的面具，「男人不能只看外表！」但無論怎麼做，卻都註定著男人永遠無法成爲那個君臨天下美女滿懷的風雲形象，而註定平凡一世的我們只能將生理衝動轉化爲無理取鬧與冷笑話，在每個孤單的夜裡，看著電視上的奧蘭多布魯幹他個三字經。

所以也許，這就是爲什麼《男人都是智障》好看的原因，書中的主角胸無點墨，身如弱雞，脾氣暴躁，滿腦子性幻想，這眞不是個令人一眼就喜歡的男主角。更糟的是，他處於單身狀態，處於雙人床另一邊長期保持沒睡過的悲慘狀態，雄性激素在他的下半身無法得到釋放，只好跑到上半身去編織一個又一個的美好性幻想。

男性的尷尬在此表露無疑，如同《哈拉瑪莉》這部電影裡的經典名言所說的一般：「男人終其一生只有兩種狀態：上膛，與非上膛。」我們也不想這樣，這都是上帝安插在男性基因裡的可惡劣根性，比照起虛幻廣告形象與鏡中自己貧瘠模樣的差距，更是令我們燃起一絲憤怒與不公，爲什麼隔壁老王總是夜夜笙歌！爲什麼吧台對面的美女整夜不看我一眼！

所以主角西蒙佩特斯來爲天下的非完美男性出一口氣了，他勇敢地向女性開起不適當的黃腔；他惡整了總是光鮮亮麗的虛假小人；他與宛如龐德女郎的俱樂部女公關耳鬢廝磨，儘

管這些充滿勇氣的舉動最後總是流於失敗下場，但無論是被潑酒、被白眼、被狠狠地揍上一拳，他還是他，一如往常地無可救藥，一如無可救藥的男人們。

這個男人的確智障，也許他的問題並不是出在搞不到辣妹這件事上，也不在他那過剩的雄性激素上。而也許問題正在那夜幕來臨的時刻，那孤伶伶的單人沙發上。這個代表地球上百分之九十「正常」男性模樣的西蒙佩特斯，只是被寂寞給纏上了，那冰冷的觸感令他瀕臨瘋狂，拋開那不文粗口的外表，他只是需要一點愛罷了，一點足以度過寒冷今晚的溫暖罷了。

唉，智障的男人們。

本文作者爲「新龍貓森林」部落格主／二〇〇六年度華人部落格生活風格類大賞得主
（http://totorogo.dyndns.org/）

推薦

聽見男人的真心話

貴婦奈奈

你還記得上一次偷翻別人日記是什麼時候嗎？

如果你還沒翻過，或已經很久沒偷看別人日記的話，現在你可以大方地、毫不遮掩地站著或躺著好好享受一下這本遠自德國、來自男人最私密內心深處的獨白日記。我可以跟你保證，看完這本書，就可以大致了解你身邊那些不太說話的男人們腦袋在想什麼了。

研究兩性行爲心理學的報告指出，男人每日平均使用的字彙只有女人的三分之一。其實不對，男人很愛說話，只是別人不知道。通常男人只把心裡的話說給親密的枕邊人聽，但有更多更多的眞心話他們不輕易說出口，只在他們的腦中運作，沒有人可以聽得到。如果拿一個監聽器裝進他們的大腦，再用喇叭放出來的話，那聒噪鹹濕的程度足以讓女人傻眼，內容不但沒品還很情色，又娘娘腔，所以他們絕不輕易說出口，爲了他們那輕如鴻毛、重如泰山

的面子。

沒聽過男人的眞心話沒關係，這本用日記方式書寫的小說，完整地把男人的大腦傾巢而出，因爲毫無保留，所以大快人心。

小說的開頭從男主角剛被女友拋棄的那陣子說起……你不得不敬佩失戀的人可怕豐富的創造力，那些滔滔不絕又憤世嫉俗的碎念，像極了躁症發作的症狀，也像極了反社會人格，看什麼都不順眼，說什麼都可以唱反調

他一五一十地把一般人可能閃過的每個念頭詳實輸出。例如按著自己的手機電話簿可以對每一個不該打或不能打的號碼評論個一兩頁；看見怪咖就暗自幫人家取怪綽號；每個路人甲乙丙丁的長相、口頭禪和習慣性行爲都被他品頭論足、嘲笑一番；被老闆罵的時候，就開始防衛地醜視老闆的五官和打扮，以平衡自己處於不利的弱勢。他的OS字字句句都很賤，卻都精準地搔到人性深埋不露的低級眞心話，於是我在千里之外的這一端，跟遠在德國的作者湯米．耀德產生爆炸性的共鳴，差點，我的笑聲就可以震到他的耳朵裡。

一頁一頁讀著這男人的日記，我突然發現，這位外國熟男的日常行爲怎麼跟我身邊那些「極端超 man 的異性戀男人」同一副德性，說一樣的話，做一樣的事，過一樣的生活，彷彿是老天不想仔細雕琢他們的大腦、賦予他們思想，只用複製貼上的方式，大量生產這些「極端超 man 的異性戀男人」。

「極端超 man 的異性戀男人」，不包括中性一點的男人或女人的好朋友 Gay。

有什麼不一樣？

中性一點的男人和女人的好朋友 Gay 比較能靜下心來閱讀，會花多一點時間觀察別人的需要，比較重視生活品味，也比較能坦白內心的脆弱，雖然他們跟「極端異性戀男人」一樣平均每分鐘產出四十八個跟性有關的念頭，但他們會佐以一點女性化的傾聽和關注的特質，來分散一下對性的注意力。

「極端異性戀男人」整天打電動，可以二十四小時不停止地看球賽聊球賽，他們口中的流行就是跟隨當季的新款球鞋；一晚可以連喝好幾手啤酒，絕不看心理勵志叢書也不看長篇小說，不看談話性節目也絕口不提深層的感覺，他們為約會所做的每件事只有一個單純的目的，就是把女性推到床上去，說的話裡三句不離批評，以凸顯自己獨特的優勢魅力，天花亂墜自以為是的幽默不外乎就是丑化自己和開開占便宜的黃腔，以虧損別人為樂，而且，非常害怕自己不夠 man。

喔~不得不說，對女人來說，這樣的男人真的有點智障，唯一稍微能獲得一點同情的地方就是：除非長得還算帥。

也許，誤打誤撞的加入男同志健身房是老天指引「極端異性戀男人」的一盞明燈，他應該持續去那家健身房活動，泡得再中性一點，這樣他的靈魂就會靠近女性一些，然後，他就

有能力去吸引最適合他的女人了。

本文作者爲「貴婦奈奈的福態日記」部落格主：http://www.wretch.cc/blog/abig99
專業執照的諮商心理師，經常在校園演講及帶領兩性成長團體。曾是世新大學社會心理系講師，目前爲電視節目工作者及自由作家。

The Eurasian Publishing Group
圓神出版事業機構
用心與你對話・視野無限寬廣
究竟出版社
Athena Press

http://www.booklife.com.tw inquiries@mail.eurasian.com.tw

mix 001

男人都是智障

作　　者／湯米·耀德（Tommy Jaud）
譯　　者／洪清怡
發 行 人／簡志忠
出 版 者／究竟出版社股份有限公司
地　　址／台北市南京東路四段50號6樓之1
電　　話／（02）2579-6600・2579-8800・2570-3939
傳　　真／（02）2579-0338・2577-3220・2570-3636
郵撥帳號／19423061　究竟出版社股份有限公司
總 編 輯／陳秋月
資深主編／李美綾
責任編輯／吳崢鴻
美術編輯／金益健
行銷企畫／吳幸芳・王軺鈞
印務統籌／林永潔
監　　印／高榮祥
校　　對／王妙玉・吳崢鴻
排　　版／莊寶鈴
經 銷 商／叩應有限公司
法律顧問／圓神出版事業機構法律顧問　蕭雄淋律師
印　　刷／祥峰印刷廠
2008年4月　初版
2008年7月8刷

VOLLIDIOT by Tommy Jaud
Copyright © S. Fischer Verlag GmbH, Frankfurt am Main, 2004
Complex Chinese translation copyright © 2008 by The Eurasian Publishing Group (imprint: Athena Press)
This translation published by arrangement with S. Fischer Verlag
through jia-xi books Co., Ltd Taiwan
ALL RIGHTS RESERVED.

定價 290 元　ISBN 978-986-137-095-8　版權所有・翻印必究
◎本書如有缺頁、破損、裝訂錯誤，請寄回本公司調換　Printed in Taiwan

Jaud, Tommy, 1970-
Nan ren dou shi zhi
zhang /
2008.
33305225353238
bk 04/19/12
WITHDRAWN

每一本書，都是有靈魂的。

這個靈魂，不但是作者的靈魂，

也是曾經讀過這本書，與它一起生活、一起夢想的人留下來的靈魂。

——《風之影》

想擁有圓神、方智、先覺、究竟、如何的閱讀魔力：

- 請至鄰近各大書店洽詢選購。
- 圓神書活網，24小時訂購服務
  免費加入會員．享有優惠折扣：www.booklife.com.tw
- 郵政劃撥訂購：
  服務專線：02-25798800 讀者服務部
  郵撥帳號及戶名：19423061 究竟出版社股份有限公司

國家圖書館出版品預行編目資料

男人都是智障 / 湯米‧耀德（Tommy Jaud）著；洪清怡譯 . -- 初版. -- 臺北市：究竟，2008.04
328 面 ；14.8×20.8公分. --（mix ；1）

譯自：Vollidiot
ISBN：978-986-137-095-8（平裝）

875.57 97003048

S0-ATW-256